Patrice Chéreau

LES VISAGES ET LES CORPS

avec la collaboration
de Vincent Huguet
et Clément Hervieu-Léger

Cet ouvrage est publié
à l'occasion de la manifestation
« Les visages et les corps »
au musée du Louvre
sous la direction
de Patrice Chéreau,
Grand Invité du Louvre
en novembre 2010.

© ESFP, Paris, 2010

ISBN : 978-2-0812-4181-7

N° d'édition : L.05EBAN000209

Dépôt légal : novembre 2010

© Musée du Louvre, Paris, 2010

www.louvre.fr

ISBN : 978-2-35031-287-3

Patrice Chéreau

LES VISAGES ET LES CORPS

avec la collaboration
de Vincent Huguet
et Clément Hervieu-Léger

LES LÉGENDES DES ILLUSTRATIONS FIGURENT PP. 210-211

TB Chéreau

La Salpêtrière
Jeudi 20 Décembre
1973

La Salpêtrière
mardi
8 janvier 1974
JB Chéreau

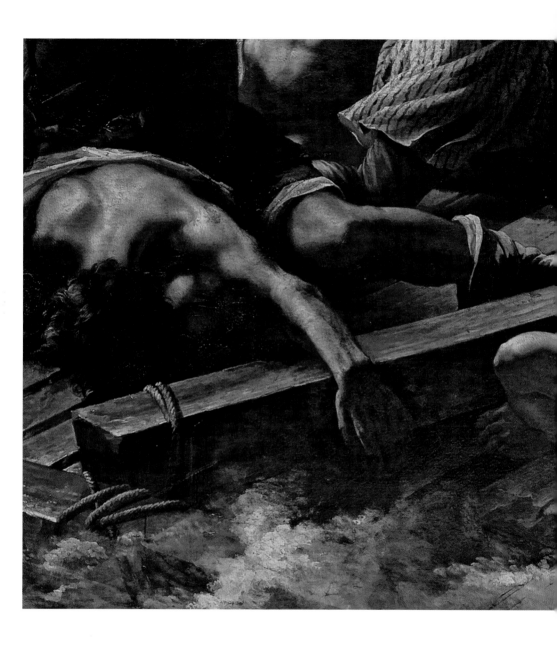

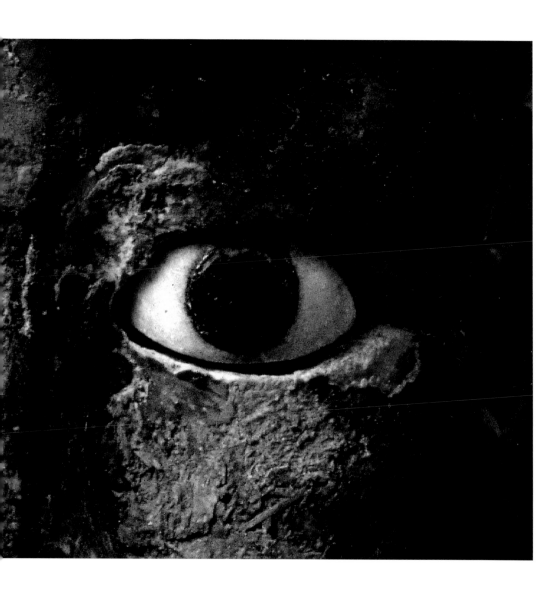

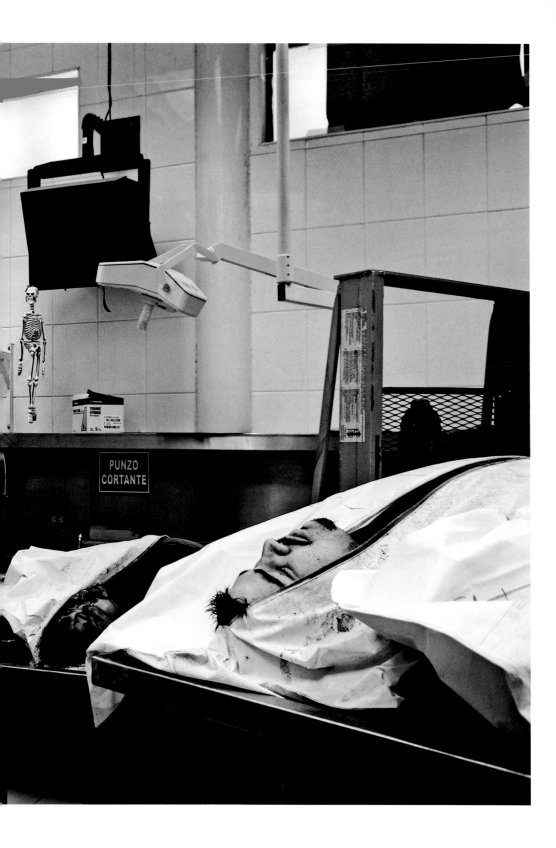

Patrice Chéreau
LES VISAGES ET LES CORPS

À toi.

« Je dis que l'avenir c'est du désir, pas de la peur. »

19 février 2009, discussion avec Henri Loyrette

Être invité au Louvre ? Être l'invité du Louvre ? Un thème, des questions ? Une exposition, une parole, des événements ? Des peintures du Louvre, d'Orsay, du Centre Pompidou ? Des photos ? Des films ? Ai-je bien compris ? Il faudrait faire ce livre après, pas avant.

Les corps, les visages ? Me viennent à l'esprit Samuel Fosso, l'auto-portraitiste africain, Richard Avedon, Irving Penn, les photos terribles des massacres de Ciudad Juárez, toutes ces images que je trouve dans les journaux au fil des jours et dont je me nourris. Nan Goldin, parce qu'il y a là une œuvre et qu'il y a du récit dans ses photos. Pas de photos qui singeraient la peinture mais celles qui en augmentent la dimension érotique par les seuls moyens de la photographie. Discussion avec Waltraud Meier, retravailler avec elle, inventer un spectacle, envie de Romain Duris de faire du théâtre, les très beaux essais filmés que nous avons faits pour *Persécution*, avec Charlotte Gainsbourg et lui : deux scènes du *Roberto Zucco* de Koltès. Découverte de Jon Fosse que je viens de lire. Représentation d'une scène ou deux de *Rêve d'automne* ? Quelque chose de très sexuel entre cet homme et cette femme acharnés dans les salles d'un musée désert. Refaire *La Douleur* dans une autre salle avec les chaises et les bancs du musée ? Pascal Greggory qui meurt nu contre un mur et se tord sur le parquet ?

Présence de la danse, des corps. Pas une *programmation*, mais une pensée organisée, des obsessions ? Le désir, la perte du désir, cette grande allégorie que le musée provoquerait, cette invitation qu'on me fait, cette volonté brutale que j'ai aussitôt de l'habiter de tous les corps qui diraient le désir et sa fin.

Ce grand projet du Louvre, me dit Vincent, le considérer comme une œuvre en soi, un tout, comme un moment où je m'arrêterais pour réfléchir, où je me poserais un instant. Oui, se poser des questions, s'interroger.

Et puis cette envie soudaine – elle est toujours soudaine, inexpliquée, comme de revenir chez soi, même en renâclant : refaire du théâtre (et pourquoi au juste ?) –, cette envie qui surgit aujourd'hui au croisement d'une lecture fortuite, la découverte de cette pièce de Fosse, *Rêve d'automne*, et ces visites au Louvre, tous ces jours, où je me dis : pourquoi pas à nouveau du théâtre, là, dans ce lieu quand il sera désert, que toutes les énergies des œuvres exposées se seront déposées, qu'il y aura, comme dirait Fosse, *« une présence qui apparaît, qui est plus forte que ce qui se passe sur le plateau »*, une présence *« qu'il est impossible de nier »*. Et qui est le *théâtre*, le texte écrit, puis joué.

Il écrit sur une carte postale de Tanger : *« Je pense que tu penses que je pense à toi. »* Nous sommes séparés, j'ai disparu parce que je pensais que je me moquais de lui. Quand je reviens, c'est lui qui part. Il y a longtemps.

18 mars 2009
Le Louvre, pour moi, c'est quoi, au fait ? C'est la nuit noire, au bout du pont des Arts, puis la lumière de l'aube, c'est le matin pour aller au lycée, un autobus, le 27, c'est ma découverte du théâtre, un pont, des arcades, passer le matin sous l'Institut quand il fait encore nuit, cette femme que mon père appelle *la reine des clochards* et qui frotte là ses seins avec du papier journal – et ma mère qui m'accompagne ce matin-là me fait aussitôt détourner la tête. C'est dans ces mêmes jours, ou pas loin, le lycée sombre où mes jambes et mes genoux tremblent parce qu'on me demande soudain de faire ce que j'ai toujours désiré : mon-

ter sur un plateau. Ce sont les yeux brillants d'Osiris dans son passage souterrain – c'est la légende que je m'en suis forgé en tout cas –, c'est l'art *pompier*, celui que mon père appelle ainsi avec mépris, et dont je n'ose pas dire que je l'aime plutôt bien, c'est le sommeil d'Endymion et l'enterrement d'Atala, toutes ces chairs blanches qui me tentent si violemment, c'est bien sûr le rouge des murs et l'escalier de la *Victoire de Samothrace*. C'est la solitude de l'adolescence – celle qui ne m'a pas quitté et qui est aujourd'hui encore le moteur le plus sûr qui me met au travail, la force qui me fait échafauder des projets –, son cortège de désirs et d'avidité, de tendresse et de manque, des *images*, oui, dont je me dis alors naïvement que je veux les refaire, ces visages que je n'ose pas regarder et dont je ne sais pas encore que je saurai un jour les faire travailler, les faire se *modifier* de l'intérieur. Et d'ailleurs, qu'est-ce que je sais faire ? Des images justement, il paraît, et pourtant je les critique aujourd'hui.

Un an plus tard, à Milan, Vincent. Une réflexion sur les images ?
La question du musée (d'un musée, celui-ci), c'est aussi la question de l'image, des images, il n'en va pas autrement de la mise en scène : proposer des images au monde, pour le concevoir et le comprendre. Question subsidiaire : d'où viennent celles qui m'ont marqué, quelles sont celles que j'ai produites ? Et parler des *images*, n'est-ce pas contradictoire avec ce thème que j'ai choisi maintenant : *Les visages et les corps* ?

J'ai produit des images au début de ma vie, oui, je pensais alors que le théâtre était cela et seulement cela. Je ne le pense plus et, paradoxalement, c'est peut-être le cinéma qui m'aura libéré du poids des images. *Les visages et les corps*, ce serait alors ce que j'ai découvert au fil des années : ce quelque chose qui n'appartient qu'à une seule personne, qui est bouleversant dès qu'il apparaît et se transforme, et surtout ne se laisse jamais ENFERMER DANS DES IMAGES. D'où vient plutôt que ce que je ne cherche plus à fabriquer (ces images) semble encore prendre le dessus sur ce que je produis aujourd'hui, consciemment, obstinément, volontairement : des visages, des corps dans un espace, dessinant une *narration*. Importance déterminante de la narration dans mon travail. *Raconter une histoire, bien la raconter*, ces mots que j'utilise obsessionnellement, n'est-ce pas, cela aussi, contradictoire avec la production d'*images* qui seraient dévorantes ?

D'où vient que les gens voient tant d'images dans ce que je fais alors que j'y vois plutôt de l'espace organisé, du tissu de relations physiques, et que j'ai l'impression de traquer surtout la *modification* ? Celle des visages, celle des corps, dans l'érotisme ou la tension, le va-et-vient entre les deux, tout cela justement qui ne se laisse pas enfermer dans une *image*, mais qui s'installe dans une *durée*. Saisir cette durée au travail : comment se modifie une idée, une pensée, un sentiment qui naît, un autre qui meurt et s'étiole, quelque chose à l'intérieur qui dévore et qui brûle et se lit sur le visage, que la caméra voit aussitôt – ou le spectateur –, une rédemption, tout ce qui passe par la tête des hommes et qui serait le sujet de mes récits et du travail que je fais avec les acteurs : la *modification*.

Les images qui m'ont nourri : quelle discussion périlleuse ! Oui, c'est la peinture, bien sûr, la partie purement visuelle de mon travail, celle assumée comme telle il y a longtemps quand j'étais petit – et qui reviendrait à mon corps défendant ? Peut-on maintenant séparer cela *des visages et des corps* ? Et puis : les images qui restent de mes spectacles – à part dans la mémoire des spectateurs où sont enfermées les plus belles de toutes les images –, ces images ne sont réellement intéressantes que lorsque le photographe ou le réalisateur étaient *bons* (Ros Ribas ou Stéphane Metge).

Oui, les images sont des sources d'inspiration et un peu plus que ça, mais justement : seulement si elles se transforment en autre chose, s'il y a transsubstantiation, si elles parlent et provoquent le désir, la sublimation, la profondeur, une réflexion. Si elles convoquent tout cela. Supériorité de l'image cinématographique aussi, et bien se redire du coup ce qui définit le théâtre : la pesanteur d'un corps vivant dans un espace palpable et secret, et qu'on peut pourtant mesurer de l'œil ; un acteur est là, au centre du cercle, et il ne fait semblant qu'à moitié. S'il transpire, sa transpiration est vraie, tout comme l'effort de ses muscles et des jambes qui le portent sur l'aire du plateau ; s'il pleure, ce sont de vraies larmes qui coulent et roulent de ses yeux ; s'il bande, c'est une vraie érection provoquée pourtant par du semblant. Mentir vrai, disait l'autre en une tout autre occasion.

Je suis là au café, le cerveau embrumé par les corps qui passent devant moi, il est minuit, à l'angle de la rue, il est la seule personne à laquelle je pense ce soir. Où est-il ? Ces mots qu'il écrit : *« C'est peut-être parce que nous restons l'un et l'autre comme étrangers. Donc proches. »*

Les images à nouveau, quelques notes d'un carnet
Je ne crois pas trop à cette idylle entre un tableau et le visiteur qui serait éveillé soudain à quelque chose par la toile, juste en la regardant. Je crois à des conflits plus violents, conflits avec tout ce qui ne se trouve pas dans un musée, avec tout ce qui y est enfermé et y meurt, doucement suffoqué par l'accumulation des œuvres et des gens. Je crois à ce qui est conflictuel et contradictoire, à ce qui éveille l'imagination et empêcherait aussi de jouir d'une image. Chercher une définition des images, c'est chercher à dire ce qu'elles cachent : est-ce qu'une image, ce n'est pas aussi ce qu'on n'y voit pas ?

Aller voir là où elles se cachent et me cachent quelque chose, là où elles ne dévoilent rien ou si peu, là où elles nous masquent tant de choses parfois, et c'est pour cela qu'on ne pourra jamais les imiter. Le théâtre ne sera jamais la copie d'un tableau, un gros plan au cinéma jamais la copie d'un portrait. Dans un travail comme le mien, une image, des images ? Elles peuvent juste m'accompagner, en secret ou fidèlement, comme le roman que je suis en train de lire, mieux encore que la musique que j'écoute et l'air que je respire.

    Jon Fosse, *Je suis le vent* :

« L'UN
    C'était mal dit

  L'AUTRE
    C'était une image

L'UN
> *Oui*
> *oui c'est sans doute ce*
> *qu'on appelle une image*

L'AUTRE
> *Et une image*
> *(s'interrompant)*

L'UN
> *Oui ça dit sans doute quelque chose*
> *quelque chose d'imparfait*
> *mais ça dit surtout autre chose*
> *pas ce qu'il fallait dire*
> *en quelque sorte »*

On me dit que l'aigle à la fin de la *Maison des morts*, brandi au-dessus d'Alieïa mourant, serait un Poussin (sans jeu de mots). Mais ne serait-ce pas qu'à cet instant du spectacle, il y a déjà une convention, un cliché sournois, une musique aussi qui est déjà une fin en soi, une pose utopique : chanter la liberté de l'oiseau qui voudrait nous renvoyer à la liberté de chacun, faire sonner ce mot qui en devient passe-partout. Et cette image d'Alieïa sous l'aigle, un souvenir à mi-chemin entre un *Ganymède* rêvé et les *Énervés de Jumièges* ? Le « Poussin » serait là parce que nous aurions fait, Thierry Thieû Niang et moi, un *tableau vivant* – ce que nous n'avons jamais voulu faire, Dieu sait ! – mais la combinaison de la musique, d'une situation non écrite dans l'opéra, inventée par nos soins, a pu produire cela – tableau vivant qui, pour être très émouvant (*« touchant »* diront quelques spectateurs cruels), n'est pas exempt de convention (je suis dur, car j'adore cette scène). D'où : c'est une peinture ! Oui, cette exclamation admirative que je prends pour une brimade.

Il trouverait son inspiration dans la peinture ? Il est réalisateur (metteur en scène) parce que, tout petit, on l'a emmené au musée (le Louvre, déjà) et qu'il était content ? Et si, au contraire, ce qu'il fallait expliquer, c'était ce conflit qu'on peut vivre devant des tableaux dont on sait qu'on ne les fera jamais (sans me comparer, le combat mené par Bacon toute sa vie

34

pour s'approcher si peu que ce soit d'un tableau de Vélasquez), tourné que j'ai été dès le début vers un art plus narratif, plus collectif à coup sûr, vulgaire parfois (le cinéma), mais où je m'épanouis en *racontant* des histoires en *mouvement*.

Il est plus joueur que moi, il séduit et ne veut pas souffrir. À côté de lui, je ne suis qu'une pauvre bête romantique. Un jour, il revient aussi soudainement qu'il était parti, il me dit, abrupt : *« C'est acquis. »* Ça ne l'était pas.

Quelque part en mars 2009. Les corps

Il y a tant de choses que j'aurais aimé faire et que je ne ferai jamais : être musicien (chef d'orchestre surtout – mais je me débrouille pour l'être un peu quand même, j'en singe assez bien les gestes en tout cas), être chorégraphe et savoir écrire des romans. Il peut m'arriver de savoir faire bouger les corps – et je pense même que j'ai une façon bien particulière de les faire bouger, un instrument que je me suis forgé au fil des années et qui vient de l'usage malheureux que je fais du mien. J'admire la danse contemporaine, j'admire sa vitalité qui me semble, comme à beaucoup, souvent supérieure à celle du théâtre aujourd'hui – parce qu'elle reposerait sur une discipline supérieure ? C'est un art dont je rêve de pouvoir m'approcher, une vitalité que j'envie et que je voudrais *voler*. Mon domaine, ce sont les textes, les mots : donc les faire vivre, les incarner dans des corps. Faute de mieux, il peut m'arriver de copier les chorégraphies des autres, la science et la musique des autres, les romans que je n'écrirai jamais, les musiques que je ne composerai jamais. Je suis un voleur à l'étalage, un pilleur malin qui prend son bien là où il le trouve et qui mange à chaque repas toutes les personnes et les œuvres qu'il admire.

Quand l'autre devient-il indispensable et à quel prix ? Comment rester autonome ? Savoir que l'autre existe peut suffire, cela aide à tenir une journée durant. Ou deux. Mes pensées l'accompagnent, au loin il sait que je suis là, quelque part, je ne connais pas tout de son emploi du temps – rien presque –, mais quand je le revois, je le vois plein de tout ce que je ne sais pas et ne saurai jamais de lui ; il est comme l'acteur avec qui je travaille, dont je ne connaîtrai jamais les pensées secrètes mais que je peux pourtant guider avec la matière même de ce qu'il m'apprend de lui par fragments ou veut bien me laisser entrevoir.

Il envoie une photo déchirée en petits morceaux qu'il faut reconstituer. Je le fais, un visage inconnu, le sien, apparaît. C'était il y a longtemps.

7 avril

La belle formule du livre de Jo Ann Endicott : « *Aujourd'hui, cela fait quatre jours que je vous parle de moi.* » Alors, ce soir, pour la deuxième fois, la question : c'est quoi, ce métier que je fais, à quoi est-ce que je sers ? Question bête et centrale. Est-ce que j'arriverai à en donner une définition aujourd'hui ? Tant de projets, et cette vie frénétique que je me fais. S'arrêter un moment et réfléchir, dit Vincent. Oui, mais comment ? Et pour quel résultat ? Réflexion soudain sur ce qu'est une *œuvre* : Lars Von Trier, même si je peux protester parfois, il y a une œuvre, une obsession qui plie tout à sa volonté, à sa logique (*Antichrist*), et que j'entends, Haneke que j'admire, aussi. Claire Denis, Ceylan, tant d'autres. Et moi ?

6 mai. Liscano

Liscano : *L'Écrivain et l'autre*, magnifique texte autour de cette impossibilité de produire, d'écrire. On serait metteur en scène parce qu'on ne serait pas capable de peindre ou d'écrire ? Puis ça deviendrait un métier – où ne manque pas de se développer à la longue un corpus de techniques plus ou moins sophistiquées qui vous donnent des armes (et accessoirement une légitimité aux yeux des autres) pour affronter les répétitions et, plus généralement, la fabrication des spectacles qui, quelles que soient leurs tailles, restent à chaque fois des objets ambitieux et uniques.

Fosse sur ce qu'il écrit : « *Le fait qu'écrire, écrire bien, s'apparente, comme on l'a dit, à une prière me semble tout à fait évident. Mais cela paraît alors comme une sorte de prière presque criminelle.* »

Metteur en scène ou *réalisateur* ? (Déjà, dans mon cas, il y a deux mots, ce n'est pas commode.) Oh ! je sais bien que ce n'est pas une *essence*, que c'est juste une pratique. Je ne suis pas que cela, *réalisateur* ou *metteur en scène*, mais je suis toutes ces actions que j'ai menées, je suis tous ces gens avec qui je travaille. Hanif Kureishi, parlant du métier de scénariste, de tous ces gens qui prennent de très grands romans et les massacrent, dit : ils transforment l'or en cendres. Est-ce que nous faisons autre chose, au fond ? Mettre en scène ? Juste raconter, montrer des vraies personnes, la douleur et l'injustice, l'espoir fou parfois, le faire avec nos moyens, nos obsessions lancinantes – toujours les mêmes de surcroît –, qu'on tient en laisse et qu'on retient ? Déjà ça. Pas grand-chose, en somme.

7 mai
Alors : impossibilité de dire quel métier je fais ? Un romancier peut dire qu'il écrit, un musicien qu'il compose, un peintre qu'il peint mais comment utiliser ces néologismes barbares : *je mets en scène* ou, pire : *je réalise* ? Dire comment je le fais, ce métier, et comment il m'aide à vivre, oui, quelle énergie j'y mets – beaucoup –, que c'est cette énergie qui me tient en vie et me fait toujours y croire : raconter les histoires de tous ces gens que j'ai envie d'aimer ou de haïr, faire une bonne narration de ce qui me maintient en vie ou me choque. Cette énergie qui me fait aimer, aimer les gens – tellement –, aimer faire ce métier, et Dieu sait que je ne fais plus aucune différence entre ce que je travaille et ce que je vis.

13 juin
Le spectacle idéal, le film idéal que je n'ai pas atteint encore et que je ne réussirai d'ailleurs pas plus au Louvre qu'ailleurs : j'y serai juste confronté à de vraies œuvres, à une vraie architecture, complexe, à de vraies histoires, celles que j'ai toujours préférées à celles que me racontent les pièces de théâtre. Ce spectacle idéal qui me donne le vertige quand je suis seul le soir, comme maintenant, et que je lis un beau roman – ou un texte de Fosse. Les projets naissent de peu de choses, ils apparaissent les uns par rapport aux autres, les uns à la suite des autres, le hasard le plus souvent, une pièce à laquelle on ne pensait pas trois semaines auparavant, une lecture improvisée, une capacité d'accueillir les idées les plus différentes, celles que l'on prépare depuis trop longtemps et qui

s'étiolent, celles qui naissent de la curiosité d'un jour, d'une rencontre. L'occasion fait le larron. Et je ne suis ni fatigué ni ennuyé, jamais. Mais accueillant et curieux.

Le *Boléro* de Béjart
Béjart disait autrefois, lors de la création du *Boléro* de Ravel, qu'en fait il avait fait répéter les danseurs sur la musique archiconnue de Mikis Theodorakis pour le film de Jules Dassin, *Les Enfants du Pirée*, cette chanson que chantait Melina Mercouri : parce que c'était exactement le même rythme. Trouvaille qui m'avait parue limpide alors. Nous aussi, il nous arrive d'aller débusquer le fantôme d'une autre œuvre pour nourrir celle que nous travaillons, une œuvre en nourrit une autre, tout ce qui est un peu commun, tout ce qui serait vulgaire nous aidera aussi à trouver le secret d'une pièce, d'un scénario. Partir d'autre chose pour aller ailleurs, croiser les œuvres entre elles pour en chercher les échos. À Bergen l'autre jour, Jon Fosse disait qu'il écoutait les *Variations Goldberg* en écrivant les *Variations sur la mort*. Et qu'il lisait le *Songe d'une nuit d'été* lorsqu'il travaillait sur *Rêve d'automne*.

26 juillet
C'est drôle comme revient cette façon de travailler le soir dans des cafés, je n'essaie pas d'aller au cinéma, mais piscine, restaurant japonais, puis un bar, convoquer son ombre, à Beaubourg ou ailleurs, lecture et notes comme quand j'étais petit. Plaisir et tristesse mélangés, envie d'être seul et toujours pas envie, exactement comme autrefois, la vodka a remplacé le whisky et les chimies amusantes. Et les fous que je croise (quatre aujourd'hui ! celui qui lisait un journal au Luxembourg tout à l'heure, cet autre qui marchait plié en deux, le caissier du supermarché avec ses grandes lunettes noires, et le visage de cette femme dans une voiture qui me tire soudain la langue et m'invite). Et moi peut-être qui leur ressemble ce soir, semblable en tout point à ce vieil homme qui écrit tous les jours de l'année à la terrasse du tabac, un peu plus loin, rue Rambuteau.

Se battre aussi contre ce qui revient de la nuit des temps, et qu'on a déjà fait, le refaire autrement, puisqu'on ne peut pas s'empêcher de refaire (mais on doit s'empêcher de refaire). Être perméable à tout, à tout ce qui fait qu'on est aujourd'hui et pas avant ni ailleurs (les chaussures de la fille devant moi, outrageusement compensées, avec une chaîne en or ridicule, où a-t-elle trouvé ça ?), se dire qu'on a changé et qu'on est capable de mieux regarder tout cela qui est *aujourd'hui*.

Il y avait ce fou qui rentrait par ma fenêtre et venait me visiter, que se passait-il dans sa tête et que je ne pouvais pas savoir ? Était-il si fou que cela ? Plus que moi ? Son absolue logique, imparable, et qu'il exigeait que je suive ? Le fait qu'il m'excitait aussi, bien sûr. Il y a ces femmes qui me sourient en silence quand elles me croisent, il y a que la vie parfois est très belle. Je regarde les gens, leurs mouvements, et tout est beau, tout peut se mettre en scène, tout est inspirant, un serveur qui efface un tableau, les gens qui passent et ceux qui prennent le métro, les cinglés, tout m'est prétexte simple à observation, je regarde tout et j'aime les gens qui s'affairent et se débattent devant moi. Mon père disait un peu platement : *« Ils me passionnent »*, d'où son envie de peindre, de dessiner ; ma mère le disait aussi, elle se levait le matin, un carnet de croquis à la main ; je ne dessine plus beaucoup mais j'ai ce même besoin, à la fois m'isoler et regarder ceux qui passent. Je m'isole et, m'isolant, je m'ouvre à eux – du moins, je le crois – et au monde, je déborde de tendresse pour tous ceux, là, que je ne connaîtrai jamais mais dont j'essaierai de parler dans mon travail. Encore une vodka, une pensée, un texto ?

Les corps sont beaux, comme ils bougent ce soir dans l'espace. Confrontation avec le mien, déjà moins drôle. Trente-cinq ans à ce même carrefour Archives-Rambuteau. Bizarre d'être heureux, là, seul, léger, plein des projets aberrants que j'échafaude et qui me remplissent. Même les voitures qui passent ce soir me semblent belles.

Cette nuit, je papillonne, comme on dit, je lis un livre puis l'autre, je mélange ce *Macbeth* que je ne ferai donc pas à Londres avec le Fosse que je vais faire à la place, ce film que je termine, mixage, et je pense que je ne suis pas sérieux du tout, qu'il faut être sérieux, il est temps maintenant. Mais n'est-ce pas toujours ainsi que j'ai travaillé ? Est-ce que ce n'était pas comme ça il y a quarante ans déjà ? Dans les cafés de Spoleto avec Richard et les chansons de Sylvie Vartan en italien au juke-box ?

Et le désir était là, déjà. Et les garçons. Et un garçon. Et l'amour, si présent, qui me fait pleurer comme au premier jour. Suis-je alors si différent de cet homme, au coin de la rue Pecquay, celui qui écrit tous les jours en plein vent, des feuilles et des feuilles noircies qui menacent de s'envoler ? Stop. Au lit maintenant. Vodka. Dormir.

Regarder, impassible, le sosie de quelqu'un qu'on connaît très bien. Elle se retourne une seconde et ce n'est pas du tout la personne que je croyais. Mais l'émotion était là.

J'ouvre *Rêve d'automne*, il est 01:45, je suis toujours à ce café qui va fermer et j'aime la pièce, je déjoue les pièges, je suis brillant avec les acteurs, je sais où les mener, je sais comment provoquer leur imagination, les scènes plus faibles me plaisent énormément. Aveuglément ? C'est l'heure de la nuit où je me crois invincible. Les problèmes sont pour demain.

Il dit : *« Est-ce qu'on peut faire le même rêve à deux ? »* Je lui dis que oui, nous l'avons fait. Un rêve à deux, lui et moi, le même. *« Peut-on rêver deux fois la même chose ? »* Il dit : *« On peut additionner nos deux rêves, peut-être, déjà… »* C'était il n'y a pas si longtemps.

2 août

Dans des bars à nouveau, pris d'une excitation folle, imaginant mises en scène, films et projets. Il est tard, j'ai dix-huit ans ce soir, je ne comprends pas ce qui se passe. Pourtant j'ai le savoir de quelqu'un de mon âge, la vie est bizarre. Je suis heureux, plein de lui, sans lui parler, sans le voir. D'un café de Séville, je l'appelle quand même, une sonnerie anglaise, très reconnaissable, me répond et me glace le sang inutilement. Où est-il ?

3 août

Tendre ce fil utopique qui part des yeux d'Osiris qui brillaient dans l'obscurité de mes huit ans, ou du corps disloqué de l'Hermaphrodite sur le coussin si sensuel du Bernin, avancer dans ma découverte tardive de l'érotisme, les corps des garçons que j'ai aimés, ceux des acteurs que j'ai désirés, des actrices qui m'ont séduit. Vers quoi ? Beaucoup de spectacles, un artisanat quotidien, une fièvre : faire des projets, rencontrer des gens. Non, pas les rencontrer ! Travailler avec eux et les faire travailler pour m'en nourrir. Quelle est cette avidité qui va des sculptures du Louvre aux tableaux de mon père, des dessins de ma mère aux miens propres, des images qu'on dit que je sais fabriquer, des acteurs que je sais faire travailler (mais je n'ai pas toujours su), et pourquoi tout cela ? Quelle est cette combinaison étrange de ma vie et de mon métier, cette façon de vivre, cet appétit, cette voracité : posséder, vouloir tout, connaître le mouvement, raconter des histoires, donc savoir les raconter, transmettre du récit, pas seulement des émotions. Détailler mes propres sensations, tourner autour de quelque chose de totalement autobiographique et que je ne saurai jamais écrire, pas même ici. Envie de donner aux autres ce que me donne un roman, un film, le spectacle de la rue. Je ne sais pas mieux le déchiffrer qu'un autre, je sais juste l'organiser correctement et je vole très bien de la matière à tout le monde. Et de tout ce que j'ai volé, je bâtis mon musée personnel : les spectacles, les films, les pièces de théâtre, les opéras parfois que vous voyez. Je suis receleur ou je recycle. La mise en scène, ce serait donc cela ?

Mes fantômes
Beaucoup de poésie à la petite semaine dans ce texte, un peu d'autobiographie, mais ce qui me compose, me constitue ? Ne sachant pas d'où me vient cette énergie de faire, je peux juste dire comment j'en suis le siège. Évoquer tous ces fantômes qui tapissent ma mémoire, cette cohorte qui me suit et me fait me mettre au travail tous les jours.

Que je vois du théâtre dans Wagner, et qu'il m'a poussé à en faire ; que les dialogues du deuxième acte de *Tristan* parlent de la vie et qu'ils sont vrais, que je les ai vécus, qu'ils nous disent la reconnaissance (*se reconnaître l'un l'autre*) dans l'amour, qu'ils nous parlent de la dépression ; tous ces moments où je retrouve avec Clément l'inspiration des mystiques espagnols que je me mets à lire pour la première fois, aiguillonné par la dédicace autrefois que Bernard-Marie Koltès, malade, m'écrit sur la page de garde de son roman : « *Vivo sin vivir en mí / y de tal manera espero / que muero porque no muero.* » Il ajoute ce jour-là à propos de ces trois vers de Jean de la Croix : « *Celle-là, mon vieux, tu vas l'avoir en exergue de ma prochaine pièce !* » Je suis vivant sans vivre en moi / et si puissant est mon désir / que je meurs de ne pas mourir.

Le travail avec Hervé que je n'ai pas apprécié d'abord à sa juste valeur ; ma fascination pour l'écriture, pour ce qui est écrit, qu'un opéra puisse être comme un roman, un roman un opéra, qu'un film puisse être un roman, bien sûr. Mais la vérité c'est que je ne sais pas écrire, tout juste des scénarios, la plupart du temps en collaboration, et ce sont les autres qui savent écrire si bien avec moi, Danièle, Pierre, Anne-Louise. Avoir travaillé avec Kureishi, lui me racontant les histoires qui feront *Intimité*, me poussant à raconter mes propres histoires, à fouiller dans la mémoire, et à parler de ma mère ; avec Paul Auster pour les dialogues de ce beau Napoléon inventé par Pierre Trividic et jamais fait ; et bientôt Mauvignier, Jon Fosse. Comment concilier tout cela, les images, les acteurs, le désir, le texte, l'écrit ?

Qu'est-ce qui a fait que j'ai rencontré Koltès ? Qu'il m'ait voulu, moi, alors qu'à la première lecture de ses textes je ne les comprenais pas ? Les trois jours avec Genet au théâtre des Amandiers à Nanterre, la trahison : « *J'espère que je ne vous ai pas trahi, Jean…* » « *Demandez à Saïd, ce n'est pas si facile de trahir.* » – le pantalon (le *falzar* de Leïla) qui s'envole, Genet dans la salle déserte qui donne des instructions, Yves Bernard, mon directeur de plateau, affolé à la perspective de devoir répéter la manœuvre devant l'auteur : « *Il ne va pas rester là toute la journée ?* » Les morts qui partent à reculons en coulisse, Genet qui monte sur le plateau et me les montre ; moi très saoul, plus tard, avec les dealers qui se croisent dans le hall et arrivent en patins à roulettes sur le plateau et jusque dans les coulisses pour vendre leurs mirages ; les quelque cent jours de tournage de *La Reine Margot*, les heures supplémentaires quotidiennes annoncées ponctuellement par l'arrivée de dizaines de pizzas, improviser avec des arbres, des chevaux et des chiens, les compter soudain (cent dix chevaux une fois, quatre-vingts chiens tout le temps, que le dresseur vouvoie et appelle par leur nom toute une semaine). Pourquoi Hervé Guibert, à qui je donne une photo de moi pour son interview, s'étale devant moi dans mon escalier de la rue Réaumur, me rend la photo froissée et inutilisable, et me demande, penaud : *«Vous n'en avez pas une autre ?»* Mon éclat de rire, qu'il prend très mal, il a vingt ans, il rougit jusqu'à la racine des cheveux qu'il a très blonds et bouclés.

Charlotte Rampling qui ouvre la porte de sa suite au *Crillon* et me regarde dans les yeux, ma tendresse intimidée aussitôt pour elle, plus tard elle posera nue pour Jürgen Teller dans ce même Louvre désert qui m'occupe aujourd'hui. La cohérence dans tout cela ? Le livre d'André Bazin sur Orson Welles lu à quatorze ans, la première fois que j'ai vu *Senso*, les quatorze fois où j'ai vu *M. le Maudit* de Fritz Lang, la Cinémathèque de la rue d'Ulm où j'ai cassé un siège tellement j'ai ri à *Go West* de Buster Keaton, tout ce musée imaginaire que je recompose à chaque fois quand je répète ou je filme.

Ces visites à Kureishi tout un été à Londres, son invention permanente, ses récits que je ramenais avec moi à Paris et transmettais à Anne-Louise qui les transformait à son tour, les repérages, des jours durant, seul souvent, à pied, en métro, en jouant à me perdre avec Antoine jusqu'à des lieux dont on ne pouvait même pas soupçonner l'existence, Peckham avec Gary Oldman la nuit en voiture sur Old Kent Road à la recherche du magasin de son enfance, Crouch End parce que j'avais lu ce nom dans une très belle nouvelle de Will Self, Hackney, Camden Town pour aller voir des costumes et une perruque avec Caroline et Kerry Fox.

Les lieux de Londres
The Venue
Balham
Clapham Junction
Westmoreland Terrace
Kentish Town
Kensal Green
The Pharmacy
Ealing Broadway
Poland Street
Kennedy Sausages
The Cut

Suivre Marianne Faithfull partout où elle chantait, sa voix dans l'Adelphi sur le Strand, au Shepherd's Bush Empire pendant la préparation du film, au Royal Albert Hall bien avant, l'écouter enfin avec tous les acteurs du film, Mark Rylance, Timothy Spall, Philippe C., Kerry, dans ces beaux jours de lecture aux studios d'Ealing, décrépits et glorieux.

Meredith Monk il y a longtemps à New York, quelques secondes soudain où, dans un loft du bas de la ville, elle ouvrait la fenêtre dans l'obscurité et tous les bruits de New York nous sautaient au visage à Richard et à moi comme la plus belle des musiques. Le spectacle s'était immobilisé, elle, dos à nous, penchée à la fenêtre, écoutait et nous faisait écouter.

Visite de la cathédrale de York. Non loin d'une chapelle dédiée aux soldats anglais en mission en Irak, cette phrase surprenante dans une église : *« Je crois en une vie avant la mort. »*

Tant de fantômes heureux dans ma vie, toutes les personnes que j'ai aimées, celles que j'aime aujourd'hui, ceux que je côtoie et dont j'ai tout appris. Il y a Fellini que je ne connais pas encore, dans le taxi qui nous emmène de Cinecittà à Rome, et qui me demande de but en blanc mon avis sur *Mort à Venise* de Visconti (qui vient de sortir dans les salles) et qui me donne le sien – mais je ne ferai pas de figuration dans *Roma*, j'ai fait la queue pour auditionner pourtant, j'étais prêt. Visconti lui-même que je vois pour la première fois à Spoleto et qui me regarde, indulgent – il sort de la représentation du premier opéra que je mets en scène. *« C'est dur de monter un opéra »,* me dit-il dans un français irréprochable.

Ce jeu qu'on joue à faire exprès de faire souffrir, l'amnésie avec laquelle on le fait et dont on se réveillera soudain quand l'autre crie. Je sais qu'il m'attend et pourtant je me dérobe, je vais ailleurs – pour rien. Le faisant, je ne fais que penser à lui pourtant. Jusqu'à la minute où je le croise par hasard dans la même soirée à une terrasse et je vois sur son visage défait et fier combien j'ai été stupide. L'ai-je perdu ce soir-là ?

Passion totale pour Orson Welles avec qui, à seize ans, j'ai l'impression d'apprendre le cinéma, son lien à Shakespeare et à Marlowe, à Montaigne, qui me parle aussitôt, cette capacité sidérante à produire des allégories complexes que je crois savoir déchiffrer : *Citizen Kane*, bien sûr, mais *La Splendeur des Amberson*, plus difficile à aimer à cet âge, et *Confidential Report*, cet avion vide qui vole toutes portes ouvertes au début du film, et la citation de Richard III, mon royaume pour un cheval, devenue *« Cent mille dollars pour une place dans cet avion ! »* Les passagers d'un soir de Noël à l'aéroport de Munich qui répondent à M. Arkadine en riant.

Tous ces fantômes que je convoque dans un spectacle, les tableaux, les romans, les gens. Tous ces fantômes qui reviennent ici dans ce texte. Inventer la litanie de mes *fantômes* (trouver un autre mot ? car ils sont bien vivants et moi aussi…) comme la liste des saints égrenée durant le transport du corps de Jean-Paul II.

Les garçons de Spoleto, si beaux, si habitués au désir, Paolo Grassi au Piccolo Teatro qui m'apprend le théâtre, et moi j'apprends une langue, l'italien, dont je ne parlais pas un traître mot. Un soir après la répétition, furieux et théâtral, il me lance un cendrier à la figure, les cendres retombent sur Richard qui regarde sans un mot.

Richard

Depuis ce jour gris de 1967 où il est venu à Sartrouville voir s'il n'y avait pas du travail pour lui, Richard est là, tout près, pas loin. Sans nous connaître, ce jour-là nous nous sommes mis à parler de peinture, celle qu'on aimait, celle qu'on n'aimait pas, celle de mon père peut-être aussi. Et, toutes ces années, nous nous sommes construit un monde absolument commun, une façon de lire le monde qui est à lui et à moi. Nous nous accompagnons – et cela va bien au-delà de la question de faire ou non des spectacles ensemble, des décors ensemble. Mais il se trouve en plus qu'on en fait toujours et que nous n'avons pas perdu cet enthousiasme à vouloir nous étonner mutuellement.

J'habite les lieux qu'il me donne comme le fait le bernard-l'ermite, je les peuple de mes fantômes, ils auront été mes plus beaux écrins, ceux que je voulais pour mes acteurs et leurs tourments. Du jour où nous nous sommes connus, nous avons fait des images (« *Nous peignons à deux le même tableau* », disait-il, il y a longtemps). Là aussi, j'utilise le mot *image* bien à tort, disons plutôt tension entre des espaces extraordinairement construits et les êtres que j'y dépose avec leur fragilité, des êtres cassables qui y vivent et s'y débattent. Ne pas forcément travailler ensemble, lui et moi, juste savoir que l'autre existe. Dans ces cas-là, je continue à faire du théâtre, sans lui, sans décors, et les plateaux vides sont pleins du souvenir vivant des règles que nous nous sommes fixées depuis toujours.

Richard est ma boussole, celui à qui l'instinct ou le regard ne font jamais défaut. La question du regard : qu'est-ce que voient les gens ? Bien souvent dans le regard des gens, même s'ils semblent aimer ce que nous aimons, nous ne sommes jamais certains, lui et moi, qu'ils voient vraiment la même chose que nous. Notre travail et nos recherches sont construits sur l'idée d'un même regard, le sien, le mien. Un regard un peu plus aigu qui serait l'addition des deux ?

Et moi qui suis toujours l'enfant de dix ans qui a peur qu'on l'abandonne (la mort des grands-parents, mon grand-père affrontant la déflagration adossé au lit, tournant le dos au corps de sa femme : le premier cadavre que je vois), c'est cela dont les tableaux me parlent. « *Désespère et meurs* », disent les fantômes de ses victimes à Richard III à la veille de la bataille finale. À moi aussi à quinze ans, ils me le disent. Et je leur réponds, non, je ferai du théâtre.

C'est le milieu de la nuit, il est dans le lit à côté de moi, il se lève soudain, prend une photo de lui qu'il déchire à nouveau en très petits morceaux, la met dans une enveloppe. Il se rhabille et sort : « *On ne se donne plus de nouvelles pendant trois mois, je reviendrais, peut-être.* » Il est revenu, de Tokyo je lui écrivais tous les jours.

Cet enfant de dix ans qui ne veut pas qu'on l'abandonne, est-ce cela que je cherchais dans les tableaux, dans les gens, dans les images de ce

Louvre qui était si près de la maison (il suffisait de traverser le pont, une passerelle légère, pas de voitures) ? De l'autre côté, tous feux éteints, il y avait une communauté d'images, une famille, la famille des images et des peintures, celles qui peuplent mon sommeil et que quelqu'un avait accrochées il y a si longtemps aux murs rouges du musée. Et le choc du plafond de Braque qui n'était pas encore sec, son bleu électrique, porcelaine éclatante dans les boiseries Renaissance.

Ce Louvre où j'habitais enfant, je m'y sentais bien. J'y voyais une grande maison peuplée de personnages apaisants et fantastiques, depuis Laetitia Bonaparte que David a peinte dans *Le Sacre de Napoléon* alors qu'elle ne s'y trouvait pas, tous ces portraits d'hommes et de femmes inconnus, Ingres, Riesener, jusqu'au *Radeau de la Méduse* aux corps enchevêtrés qui combinaient la détresse et le cannibalisme de mes rêves. La discussion entre ce qui est *bien peint* et ce qui est *mal peint*, distinction établie par mon père et dans l'ombre de laquelle je respire encore. Et puis des années plus tard, renouer soudain avec la peinture sous une autre forme en découvrant un ami, un frère, Richard Peduzzi, qui finira par aller faire la tournée des bars avec mon père plutôt qu'avec moi en parlant de peinture. Un grand ami de mon père, peintre lui aussi, catalan, Modest Cuixart, qui me présente à Roger Planchon rue Monsieur-le-Prince à la veille affolée de mon baccalauréat.

Des années plus tard, il y a quelques mois, cette invitation au Louvre, le rêve aussitôt que j'ai d'y faire du théâtre, de la danse, et partout : tous ces lieux que je voudrais remplir. Khorsabad, la salle à manger Napoléon III, le passe-plat où l'on aurait mis des spectateurs, Anne Teresa de Keersmaeker qui ne viendra pas danser sur la table du duc de Morny, les fantômes du salon Denon qui seront là, les fantômes de Fosse et ceux des œuvres que je n'expose pas et que je voulais pourtant : *Les Raboteurs de parquet*, le *Garçon au chat* de Renoir, le Matisse de Beaubourg. Et puis le grand fantôme de Koltès à travers Romain Duris et la présence de tous les chorégraphes qui viendront peupler les salles et les galeries, Emmanuelle Huynh et Boris Charmatz dansant Odile Duboc qui vient de disparaître, et Merce Cunningham que Mathilde convoquera. Et puis Thierry et Clara.

La peinture aura toujours été dans ma vie, oui, et avec elle le Louvre, cette grande école-maison, non pas pour en reproduire quoi que ce soit, ni pour habiter des images animées : la peinture m'aura aidé à organiser l'espace, à rendre lisible ce que j'écoute, à donner du sens à ce que je raconte – qui ne peut être lisible, incarné, que s'il est *organisé*. Organiser le réel comme une matière, et cette matière, la réduire à ma volonté, la rendre opaque ou transparente : comme je la veux, complexe ou très simple. Le combat de mon père avec ceux de ses tableaux dont il avait décrété qu'ils étaient ratés, les cadavres et les morceaux de contre-plaqué qui jonchaient son atelier et témoignaient de la violence des combats : oui, je me reconnais là-dedans et dans ce mélange aussi qui était le sien de paresse profonde (celle qui force à travailler tout le temps) et d'énergie folle, celle qui constitue mon combat à moi, un combat dont je suis le siège mais qui se déroule pour ainsi dire sans moi, impuissant chaque jour, ce métier qui n'a pas de nom sérieux mais que je subis et pratique pourtant avec douceur et violence.

Thierry

Il y a une violence dans tant de douceur, tant d'écoute, tant de capacité à faire changer ma façon de travailler – ce qu'il ne cherche en aucun cas à faire –, à m'ouvrir aux autres, à mieux les observer. À ce que je savais faire, Thierry a rajouté subrepticement la joie légère et grave de l'improvisation qu'il manie supérieurement, le plaisir de l'écoute et du présent. Être au présent, comme il dit si souvent – ce que je ne sais pas toujours faire. Joie de travailler et de signer les spectacles avec lui, portés par le travail commun, *De la maison des morts*, *La Douleur*, *Au bois dormant*, d'autres à venir encore. Émotion des improvisations à Vienne, acteurs et chanteurs mélangés sans musique, dans le silence des anciennes écuries. Tout ce qui me ramène avec lui à une sorte d'essence primitive du théâtre, à une pratique très ancienne, archaïque, de l'*être ensemble* sur un plateau, comme quand je le vois travailler avec des enfants, autistes ou pas, avec ces personnes âgées qu'il sait si bien faire danser, ou ce qu'il me raconte de son travail avec les détenus des Baumettes ; le fait qu'on puisse parler de tout ou juste parler d'un livre, d'un film qu'on a vu, et que, moi qui dis toujours non d'abord (je dis toujours non, c'est ma façon de dire oui), j'arrive à travailler aussi bien avec lui, à partager avec lui ce travail autrefois si solitaire qu'il sait me forcer à ouvrir.

Mon tempérament aurait dû faire de moi la personne la moins apte à collaborer ou à partager avec qui que ce soit. Et pourtant, je travaille avec lui. Non pas de la façon dont on le croit : je ne l'ai pas attendu pour savoir faire bouger les corps, il ne m'a pas attendu pour avoir une pensée autonome et concrète sur les textes, une analyse, capable de s'incarner dans un texte, un scénario, une musique, une danse. Il a accès à ce que les gens croient être la partie secrète et intime de mon travail, c'est-à-dire tout : le travail avec les acteurs, l'analyse des textes, l'organisation de l'espace. Il peut y intervenir de la façon qui lui convient, y porter la contradiction, l'enrichir ou la brouiller. Je ne m'attendais pas à cette collaboration, comme je ne me suis jamais attendu à aucune des rencontres importantes que j'ai pu faire : ni Richard, ni Pierre Romans, ni les élèves de l'École de Nanterre, ni Koltès. On a décidé pour moi. Thierry est aujourd'hui chez lui dans mes projets et parfois il m'invite à venir habiter les siens. Il est la boussole de l'inattendu – celle qui m'apprend à regarder autrement.

1er mars 2010

Nuit de première à Milan, un bar à Brera très tard, Esa-Pekka, Daniel Harding, certains des acteurs américains et autrichiens qui ont joué dans les précédentes versions de la *Maison des morts*. Discussion irréelle avec Peter Mattei qui me parle soudain des autres metteurs en scène, il me dit qu'il n'était pas content de moi au début des répétitions à New York parce que je n'imposais rien (« *Je pensais que tu ne savais pas ce que tu voulais* »), s'ensuit une discussion sur ce que j'ai fait ou n'ai pas fait avec tel ou tel chanteur (« *Avec lui, tu as renoncé !* »). C'est-à-dire qu'il parle en fait de ce qui se passe quand un acteur ou un chanteur n'est pas très intéressant et que j'arrête de vouloir lui donner une intériorité qu'il ne me délivrera de toute façon jamais. Oui, il y a un moment où je baisse les bras. Si cet acteur que j'ai devant moi n'a pas envie de me donner plus, qu'il ne veut pas se mettre en danger, rechigne à chercher plus loin ? Avant je m'énervais, je tapais du pied, maintenant j'essaie patiemment de gratter jusqu'à trouver un endroit où je toucherais quelque chose, un imaginaire, le sien… Mais si cela l'ennuie de s'en servir ou de me le donner, si cet imaginaire ne veut pas s'ouvrir et qu'il me demande juste où se placer dans l'espace ? Alors je lui donne des places, je lui indique

Pas d'affrontements non plus, mais la mise en œuvre d'une relation où chacun existe, où la friction crée une étincelle, un éclat. Essayer, recommencer, aller dans les zones nouvelles et les espaces inconnus. Utiliser jusqu'aux incompréhensions de tous, les cuire à la sauce de mes propres doutes, aiguiser la capacité et le désir de chacun, se laisser traverser et rejoindre par un texte, par une musique, par *l'autre*.

Susan Sontag, *Renaître* :
    « Consentir au monde et en profiter – mais uniquement dans la nudité. »

Ne sachant pas définir ce qui fait mon métier, est-ce que je sais dire au moins d'où tout cela vient ? Comment décide-t-on de faire ce qu'on fait quand c'est une décision aussi ferme que la mienne ? Au lycée en cinquième ? Quelle année ? Une représentation en plein jour dans la cour du lycée Montaigne, une pièce de Marcel Achard (*Voulez-vous jouer avec moâ ?*). Puis, dans mon souvenir, un prestidigitateur habillé en chirurgien, un masque sur le visage (ils étaient en blanc à l'époque), il s'enfonce un gigantesque couteau dans l'avant-bras et le fait avancer tout en cisaillant les chairs. Un flot de sang jaillit, des hurlements dans la cour de récréation. Est-ce que c'était cela, ma décision : représenter ce qui n'est pas représentable et qui fait peur ?

À part ça, de mémoire : lectures de Dumas, comme tout le monde, de Jules Verne avec les illustrations de l'édition Hetzel, quelques hommes au torse nu parfois que je regarde à la loupe (le compte-fils de mon grand-père). D'où viendra l'érotisme ? De ce bras coupé, de ce camarade de classe admirable et gracile que je veux persuader nerveusement de venir faire du théâtre avec moi qui suis si laid et empoté ? Des peaux, des odeurs, des corps cachés dans les vêtements, ces vêtements dont je pense qu'ils ne me dévoileront jamais les corps qui s'y blottissent et que je désire en silence ?

Solitude de l'adolescence, molle et sans grâce, conscience de ne pas habiter mon corps, d'être laid et moche, ou pas laid mais juste moche. Mais c'est cela qui m'a poussé dans les bras du théâtre : c'était une revanche. Il y eut de la revanche longtemps, aujourd'hui il n'y en a plus. Moins.

Que se passe-t-il ici, dans une nuit comme celle-ci, tranquille et triste ? Est-ce qu'il connaît la tristesse ? Il connaît l'équilibre et la solitude. Moi je prétends les savoir mais c'est faux, je ne les pratique pas, je peuple mes rêves de mon avidité : théâtre, films, opéras, je suis une machine parfois qui ne sait pas s'arrêter. Madeleine Marion est morte aujourd'hui.

Les 78-tours, récupérés chez les grands-parents à leur mort, le premier tourne-disque, les premiers achats rue de Rivoli à un Club français du disque, le *Boléro* de Ravel et la *Pavane pour une infante défunte*, la masse des petits 45-tours accumulés, Vivaldi, Bach, rien que du banal. La vente des trois tableaux de Renoir, gardés jusqu'alors au-dessus de nos armoires de famille (la grand-mère de ma mère fut son modèle, Lise, elles se ressemblent), et, porte d'entrée de mon adolescence, mon frère, aimé. Les jésuites, les premiers attouchements d'un prêtre que mon père retrouvera cinquante ans plus tard aumônier d'un hôpital où il soigne sa première attaque. Ma mère furieuse, moi plutôt attendri par cet homme que je n'ai plus jamais revu et qui m'avait doucement nettoyé un matin en classe de onzième ; le refus plus tard des prêtres que je serve la messe et que j'assiste au catéchisme parce que je racontais des histoires de cul. Mais quelles histoires de cul ? À douze ans ?

Le mystère de la lumière rouge sur l'autel. Pourquoi ? Pourquoi partout dans toutes les églises à la fois ? Le Saint-Esprit ? Le théâtre déjà ? Je veux être prêtre alors, je fais semblant de servir la messe en obligeant mes parents à y assister. Effroi de mon père, athée. L'aube est un drap, la chasuble une couverture, un vieux numéro de *Paris-Match* sur la chute de Dien Bien Phu et Geneviève de Galard deviendra la Bible que je transporte d'un coin à l'autre de la table à dessin qui figure l'autel. Ça a duré longtemps, ce devait être du théâtre déjà.

Des années plus tard, en 1995, retour de Sarajevo avec Lluis Pasqual, un Nouvel An là-bas, une trêve, les balles traçantes, la dignité des gens, les conditions inhumaines, nous qui ne sommes venus faire que du tourisme en somme. Magnifique travail de Francis Bueb qui y est resté depuis. À Split au retour, deux places inespérées qui se libèrent dans un charter pour Paris : ce sont des pèlerins qui rentrent après avoir visité la Vierge à Medjugorje. Un siège à Sarajevo ? Oui, ils en ont vaguement entendu parler. Et vous lui avez demandé à la Vierge, ce qu'elle pensait du siège de Sarajevo, demandé-je passablement remonté. *« Elle dit que c'est arrivé parce qu'on n'a pas assez prié. »* Sourire contrit et dégueulasse de cette femme qui me répond.

La pauvreté de mes parents, sue plus tard et dont ils nous ont protégés, mon frère et moi. Quand l'atelier de dessins de tissus qu'ils maintenaient à grand-peine s'est arrêté – la dessinatrice épileptique qui soudain me regarde fixement quand la bave apparaît aux commissures de ses lèvres et on m'éloignait d'elle avant qu'elle ne tombe à terre –, ma mère s'est mise à travailler dans un autre atelier pour nous faire vivre tous, mon père, mon frère et moi dans le grand appartement de la rue de Seine (mon grand-père à ma mère : *« Ton mari est un maquereau ! »*, moi qui demande à mon frère : *« C'est quoi, un maquereau ? »*).

Le cinéma en plein air de Benidorm, *Marcelino, pan y vino*, film outrageusement franquiste et catholique dans mon souvenir et que j'avais aimé, l'amant de ma mère que j'ai aimé aussi, beaucoup – aimé d'abord l'idée qu'elle avait un amant : je n'en avais pas, elle en avait un en plus de mon père, j'ai adoré. Obsession de dessiner des décors imaginaires pour des pièces que je ne connaissais pas vraiment, des heures de dessin tous les jours au stylo-bille ; entre deux dessins, soudain, courir dire à ma mère que je suis homosexuel.

Pierre Guyotat, *Formation* :
> *« Mon corps, dans ce à quoi il est promis, sexe – et si par une œuvre, il devenait public ? – et mort. »*

L'Espagne, ancrée en moi, la corrida à quatorze ans, l'œil blanc du taureau qui meurt face à moi, la violence de cette Espagne franquiste où ma mère en pantalon se fait siffler lors du paseo de sept heures du soir ; mon père qui cherche désespérément en 1953 un endroit toujours plus *sauvage*, plus bas, plus au sud, encore, il y en avait tant pourtant à l'époque. Non, ce n'était jamais assez *sauvage* et nous reprenions la voiture, descendant jusqu'à Malaga entassés dans une minuscule 4 CH Renault.

La ferme des Brochard au bord du Loir, l'odeur des familles entières dormant dans la même pièce dans des lits très hauts, les édredons carmin délavés, l'odeur persistante de la gnôle, du café et de la crasse sur les murs ; le vendeur de peaux de lapins, inquiétant, le pont de Lézigné et ces grands trous de bombes de part et d'autre, devenus des bassins pleins d'eau et de joncs – jusqu'en 1960 on s'y baignait. La tombe de mon arrière-grand-mère, et Mme Bredeloup, l'épicière.

Très saoul, je m'accroche à des garçons que je drague devant lui. Ça le fait plutôt rire, il m'arrache doucement à eux et me ramène à l'hôtel. Dans la nuit, me levant en titubant, je brise une table en verre qui se trouve sur mon trajet ; du fond du lit, il éclate de rire à nouveau. Cette nuit-là, je l'ai perdu.

La première ligne de *Nightlight* (Kureishi) qui deviendra *Intimacy* (*Intimité*) au cinéma : *« Elle vient chez lui le mercredi, tard, uniquement pour le sexe, son taxi l'attend dehors. »* La question du corps déjà au centre de la phrase. On agence des morceaux déjà existants qu'on prend dans d'autres œuvres, on partage à plusieurs un langage commun, celui de notre époque et de toute la mémoire de ce qui nous a précédés.

Auster, Kureishi, *My Beautiful Laundrette* vu avec Bernard-Marie Koltès. Auparavant, pour moi, la mise en scène n'était qu'un exercice solitaire où j'oubliais les auteurs, où j'exerçais un droit de regard et ma toute-puissance sur les images, les déplacements et la diction. Et d'un coup, allez savoir pourquoi, j'ai travaillé avec Hervé, avec Bernard, Genet, Heiner Müller, c'était entre 1980 et 1986. Fait des scénarios avec Hervé et Bernard, l'un réalisé l'autre pas, monté les pièces de Bernard, toutes les pièces, toutes celles que je pouvais, je n'ai pas su ce qui m'arrivait, c'était malgré moi, et je m'y replonge à nouveau, jusqu'à celle que je ne comprenais pas à l'époque : *La Nuit juste avant les forêts*, ici même au Louvre.

Les années 1989 et 1990, quand brusquement Bernard-Marie, Hervé, Daniel Delannoy, Pierre Romans, sont morts, que leur procession a accompagné mon départ de Nanterre ; Daniel à la fête où je quitte Nanterre, Daniel que j'ai aimé et qui était un elfe, un être si pur à qui je pense quand je vois Romain dire aujourd'hui les mots de Koltès : « *Il faudrait être léger, ne plus rien peser…* » Pierre, qui était si malheureux à Nanterre de ce qu'il avait provoqué : cette école qu'il avait voulue et qui le minait.

Je suis allé en voiture jusqu'à Clamart, hôpital Antoine-Béclère et, disant que j'étais de la famille, j'ai pu regarder longuement le corps d'Hervé caché par un drap que j'aurais voulu soulever pour le prendre en photo ; de Bernard-Marie je n'ai vu que le cercueil fermé et l'admirable discours du père jésuite, de Daniel le *Requiem* de Mozart dans la petite église de Brie-sous-Archiac ; de Pierre à la morgue, le grand mouchoir qui lui couvre le visage pour cacher les bleus qu'il s'est faits en tombant. Ma mère, dans son coffre, avait ses cheveux arrangés d'une façon qu'elle n'avait jamais eue de sa vie ; avec l'autorisation de mon frère, resté seul avec elle, j'ai sorti un peigne et voulu la recoiffer. Je me suis arrêté quand j'ai vu que les cheveux restaient dans mon peigne. Quinze ans plus tôt, à sept heures du matin à l'hôpital Sainte-Anne, mon père dans sa boîte ouverte, maquillé pour la première fois de sa vie.

Et Paolo dont je sais qu'il m'a attendu pour mourir, et quand je suis arrivé de Fiumicino dans le sinistre hôpital Filippo Neri de Rome, hôpital du tiers-monde, son corps était encore chaud.

Cortège de mes fantômes magnifiques.

Mon travail (et ce livre) : convoquer ces fantômes familiers, mes fantômes, ceux que je décris ici, en convoquer d'autres encore que je ne connais pas et que je n'ai pas fréquentés, à qui personne ne m'a encore présenté. Citations de Susan Sontag et de Jon Fosse dans ce livre et jusqu'aux murs de l'exposition ? Secrètement, *in petto*, il devrait y avoir dans cette salle qui me sera réservée des coins qui seraient dédiés à Koltès, à Fosse, à Waltraud et aux *Wesendonck Lieder* – à l'exposition elle-même, aux tableaux –, à ceux qui m'accompagneront dans ce projet, Boris, Mathilde, Thierry.

17 mars

Dire simplement comment on le fait, ce métier, comment on pratique cette forme d'écriture éphémère (la mise en scène) et qui, dans le seul et unique cas du cinéma, peut devenir une véritable écriture qu'on pourrait *presque* comparer à celle du romancier ou du compositeur. Les mots *chaos* ou *voracité*, relus dans mon carnet à propos de *Persécution* (un mot qu'il me souffle : *chaos*), la fragilité des êtres auxquels je m'identifie, le personnage de Daniel dans *Persécution*, le fou pas si fou, la douleur persistante du manque, ce chaos qu'il me faut organiser en tant que réalisateur, la description des corps, des peaux, des poils, des sexes : y trouver un sens désespérément, là où probablement il n'y a pas de sens. L'extrême stylisation au cinéma, qui est tout sauf roublardise, qui est juste honnêteté : *Hunger* de Steve McQueen, comment une expérience purement plastique peut se transformer en narration, en pur cinéma, l'audace du plan fixe entre Fassbender et le prêtre. Et la question de la violence qui procure fascination et horreur. Fascination, bien sûr, dans mon cas.

Intimacy/Intimité

Intimité, dit Marlène Zarader dans un beau livre qu'elle m'envoie (*La Patience de Némésis*), n'est ni une idéalisation, ni une description brutale où l'on montrerait la réalité des corps – et qui supposerait qu'on sache tous ce qu'est un corps et quoi faire avec : l'acte sexuel. Zarader dit que *Intimité* se tient à l'écart de ces deux options et que le film montre les corps, mais de telle sorte qu'il suggère ce qui reste essentiellement invisible et qui est peut-être spirituel. Je relis ces lignes, je repense à ce que je ressentais pendant le tournage : que plus l'on montre la chair, plus le secret même de l'acte sexuel s'éloigne, moins il se révèle, plus il s'échappe et nous échappe, je revois ces personnages du film, tout entiers présents dans leur corps. *« Présence complète, sans faille, compacte »*, disait Anne-Louise Trividic à propos de Claire, le personnage féminin du film. Et je me souviens alors de l'extraordinaire singularité des personnages de femmes écrits par Anne-Louise, je me souviens de ces beaux cadeaux qu'elle m'a faits et avec lesquels je me suis trouvé si bien : Claire, Gabrielle, Sonia.

Les visages et les corps

Le petit film qu'il me montre, réalisé par et avec les détenus de la prison des Baumettes, 9m². Cette cellule partagée par des corps différents, cette discussion sur le lit d'en bas avec la jambe qui pend du lit du dessus. Les corps. Et, au centre, ce vide créé par ce lit inoccupé.

Là encore, suprématie (*supériorité*?) de l'image cinématographique sur toute autre image? Depuis mon premier film, je ne fais que courir après ce que le théâtre ne me donne pas et que je peux seulement rencontrer sur un écran, filmé par une caméra, ordonné par un montage, à la croisée de cette différence sacrée (*sacrée*? *magique* en tout cas et qui me bouleverse) entre le plan large et le gros plan – toutes les grosseurs de plan –, entre immobilité et mouvement, entre ce qui est dans le champ et ce qui en est exclu : pour moi, tout ce qui se rapproche en fait le plus du roman, de la nouvelle. Après quoi le théâtre, mon théâtre ne peut plus faire que courir après mon cinéma sans jamais le rattraper. Là aussi un autre fantôme encore, celui du cinéma qui est venu un jour contaminer mon théâtre, tout ce que j'essaie de faire sur un plateau, sur une scène – théâtre et opéra confondus.

Un matin, il dit soudain : «*Je ne peux pas rester.*» Il part, il referme doucement la porte de la maison, il marche dans la rue longtemps, je le regarde de loin jusqu'à ce qu'il disparaisse tout petit derrière un angle et que les Pyrénées ne l'engloutissent. La déchirure est foudroyante, aujourd'hui encore il me suffit de la gratter pour qu'elle se rouvre un peu et me parle.

Toutes ces villes où il a dit qu'on irait ensemble : New York, Hanoï, Le Caire.

La question de Mathilde Monnier au terme d'une visite au Louvre, il y a quelques mois : «*Et pourquoi les visages et les corps?*» Parce que cela semble résumer mon métier, dis-je ingénument (mais il faudrait y ajouter : les mots, et les espaces), des corps seuls ou en groupe dans l'espace, dans des volumes vides, abandonnés, comme des natures mortes – ou très vivantes –, comme le très beau portrait de Raphaël, des corps habillés ou nus, chargés de désir ou très opaques au contraire, les défauts de ces corps, ce rose inexpliqué pour moi, gamin, des doigts de pieds et des talons chez Ingres ou David. Et les visages – toujours énigmatiques, déformés ou mystérieux, les lèvres qui se plissent, les yeux qui se tordent : ce que je filme, ce que je regarde chez ceux que j'aime, ce que je crains chez ceux que je n'aime pas, ce qui me dérange chez les acteurs avec qui j'ai du mal. Les érections qui surviennent quand je travaille et qu'il faut cacher ou satisfaire. Et ma subjectivité que j'ai appris à dresser, *un peu*, la sentimentalité constante contre laquelle je me bats ; et cet affolement d'imaginer tous ces corps que je vais montrer au Louvre, tous ces visages que je vais aimer, *L'Homme au gant* peut-être, la femme noire de Mme Benoist, *Balthasar Castiglione*, le Christ de Philippe de Champaigne, *L'Origine du monde* de Courbet, découvert en cachette il y a longtemps chez Lacan à Guitrancourt, un grand Dubuffet, *Les Raboteurs de parquet*, la sculpture jordanienne, inouïe, Pascal, Valeria, Romain, Waltraud, Bulle et Thierry : *« Bonheur d'être au monde et ensemble. »*

Oui, il y a de l'érotisme dans tout cela, du désir, de la tension, l'agitation qui tord les corps et les jette les uns contre les autres, ces corps à corps qui me fascinent depuis l'enfance et que je théorisais volontiers quand j'étais petit : le théâtre, le cinéma, c'est le corps à corps (*la mêlée de rugby*), les rapports de force, la violence disséquée. Bien sûr, cela, ce fut l'élan primitif, et ça ne me suffirait pas pour lire le monde et l'interroger aujourd'hui. Mais le début pour moi était là. L'érotisme qui opprime les corps, qui fait rêver de leur possible avènement, de leur future jouissance, celle de la vie, y mélanger l'enchantement des murs de Denon, des photos d'Avedon et de tous les photographes anonymes, un danseur qui bondirait dans l'escalier de la *Victoire de Samothrace* sous un mince rayon de lumière, et puis encore et encore *Rêve d'automne* : cet homme et cette femme à moitié nus sous leur couverture de survie.

Il est revenu, il a sonné à la porte et j'ai ouvert, il a souri. Deux heures à pleurer dans nos bras mélangés. Il dit : *« Je dis que l'avenir c'est du désir, pas de la peur.* » Aujourd'hui, il écrit : « *Nous, on va se voir travailler et vivre ensemble longtemps, non ?* » J'aime ce non qui est un oui, ce point d'interrogation qui n'en est pas un.

Les êtres aimés sont eux aussi des fantômes – vivants : ils disparaissent, ils réapparaissent parfois. Ils me hantent et m'habitent, je les convoque tous les jours.

17 mars à nouveau

André Bazin : « *L'écran n'est pas un cadre comme celui d'un tableau, mais un cache qui ne laisse percevoir qu'une partie de l'événement.* » La souffrance qui s'est installée progressivement chez moi de *n'avoir que* les plateaux du théâtre à ma disposition, d'être condamné à cet éternel plan large et vu de loin, alors que ce que je vois quand je suis tout près des acteurs est si beau, si partiel et agressif, que mon regard les suit si bien, et tout l'effort qu'il faut faire pour que le regard du spectateur suive exactement ce que je regarde moi, et que je force à regarder. Quel outil imparfait que cette scène, cette estrade incommode et qui fait souffrir. C'est de cette tension et de cette insatisfaction que vient tout ce que je fais désormais. Derrière le cache dont parle Bazin, il y a l'infini de l'espace cinématographique, et nous donnons à voir des bouts d'infini – si on peut, si on y arrive. Au théâtre (et à l'opéra encore plus, bloqués que nous sommes parfois par ce quatrième mur, celui de la musique qui sort de la fosse et nous ferme le plateau, nous interdisant le contact), tout l'effort qu'il faut faire alors pour que cela soit un peu magique et que cette magie ne s'évapore pas dans ces grands espaces immobiles !

Toujours le 17 mars

Cette invitation d'Henri Loyrette que j'ai acceptée aussitôt, venir au Louvre, et que j'ai prise ingénument comme une occasion de faire mon métier, d'y réfléchir, de le confronter à un musée auquel me lie une relation ancienne et familière. Puisque je ne saurai jamais ce qu'est mon métier, juste essayer de redire ici, et dans les salles du Louvre, comment je le fais. Faire mon métier, est-ce cela finalement que me demandait Henri il y a un an ? Je l'ignore, j'ai vu des espaces, j'ai pensé à ce théâtre dont je m'étais éloigné

– sans douleur –, pensé à des acteurs, à des corps désirés en mouvement, à des espaces vides et transfigurés, à des mots écrits, chantés, j'ai pensé à de la danse, je pensais pouvoir habiter tout le Louvre, je voulais tous les tableaux de tous les musées ; ils n'y seront pas tous mais ceux qui ne sont pas accrochés sur les murs de la salle Restout seront exposés ici dans le grand livre de mes souvenirs, là où est rangé tout ce qui peuple mes journées.

Et tout ce que je dis là, c'est parce qu'il a appelé aujourd'hui et qu'on s'est parlé. Est-ce que cela n'aura pas toujours été le cas depuis que j'ai vingt-quatre ans ? Quarante minutes de conversation ce soir et me voici remonté comme une pendule, ne pensant plus à demain, oublieux, heureux de vivre le désir qui me pousse en avant, vers le théâtre et le prochain film. Quel bonheur, donc quelle tristesse. Merci à toi.

Libérés de la question de bâtir une carrière, nous travaillons beaucoup, oui, non pas que nous aurions peur du vide, non. Les gens arrivent, des gens, les choses arrivent, elles nous atteignent et nous leur disons oui. Ce n'est pas de l'appétit, ce n'est plus de l'avidité, n'est-ce pas de la *curiosité* désormais, tendus que nous sommes vers le *présent* ?

18 mars
Ai-je réussi à dire quoi que ce soit de mon métier, du handicap physique, de la *revanche* ? Ai-je été clair en disant que c'est le manque qui me meut, que le calme et la passion des autres sont arrivés tard, qu'avant j'étais habité d'un monde obstiné et dictatorial, que je voulais contrôler tout et que je m'en suis remis au temps pour me changer, être à l'écoute ? Mais je continue à dire non à tout, d'abord, ensuite seulement je m'approche doucement et comme à regret du oui : ceux qui travaillent avec moi le savent, je n'ai jamais su corriger cela.

Le manque, la haine du corps inemployé de mes seize ans, la solitude – complaisante à cet âge et pourtant sincère –, heureux et triste aujourd'hui, l'apparition de tous ces fantômes qui irriguent et rythment mes travaux et qui me font avancer, travailler, rire et rester attentif.

Le manque est le moteur. Il le restera, même si rien ni personne ne venait à manquer. Le manque et sa sœur, l'avidité, et la peur d'être abandonné.

20 mars

Mais bientôt, demain, aujourd'hui, au cœur même du Louvre, ce grand hall peint en rouge, ces tableaux tapis dans l'ombre, ce salon profond où sont convoqués les vivants et les morts, ces vies entières que nous traversons avec eux, et le désir qui s'en va.

La métaphore de Jon Fosse qui s'incarnera ici, entremêlée à celle du musée, ce cimetière de toutes les vies, cette envie violente, absurde, qui m'a traversé l'esprit il y a un an jour pour jour lorsque, ayant lu ce texte par hasard, je me suis promené dans les salles du Louvre.

La vie, la passion folle et le désir qui se heurtent de plein fouet à l'irruption obscène des enterrements, aux générations qui ressassent et disparaissent, à la mort qui voudrait reprendre ses droits et finira par gagner. Les salles vides d'un musée où les corps s'empêchent et se frôlent pourtant, la mort de toute une lignée du côté des hommes : la grand-mère paternelle, le père, puis cet homme-là que nous raconte Fosse, cet homme sans qualités, et son fils de dix-neuf ans qui ne connaîtra jamais son enfant. Et dans ces vies combattantes, les ombres du désir et du deuil qui célèbrent leur union dans un même mausolée.

Un rêve en automne, des visages qui aiment tant et souffrent trop, le sexe et le suicide qui rôdent, des corps qui veulent tout, et un cœur, comme dirait Guyotat, *« qui ne fait passer que du sang, et du sang qui ne chauffe plus »*.

Un homme et une femme qui se sont désirés il y a longtemps se retrouvent éperdument devant nous : qu'est-ce qui a déjà existé entre eux ? De quoi sera fait leur futur auquel on assiste déjà ? Et puis : qui est mort ? et qui va mourir ? C'est le désir fou qui se bat contre la dépression : mort de l'amour, inassouvi et pourtant perpétuel.

Car les hommes vivent encore longtemps quand tout semble mort en eux, et c'est ce qu'on appelle la vie de tous les jours, le désir y brille d'un feu qui ne veut pas s'éteindre. Et puis il y a les mères qui, comme dans la pièce de Fosse, survivent à tout, et les grands-mères infatigables, fantômes dansants elles aussi, habitantes d'un musée-cimetière qui savent regarder tout cela de l'œil attendri des revenants, attendant que leur arrière-petit-fils vienne les rejoindre dans la tombe, là où est leur vraie place. Accouplements, mythologies familières : tant d'êtres vivants ou morts ; la nuit venue, ils se réincarneront sous mes yeux.

Il dit : *« C'est jouer à Colin-maillard. J'ai les yeux bandés. Tu as les yeux bandés. Et on va se trouver. »*

28 mars 2010, dimanche des Rameaux
Séville. *Jesús despojado*, il danse une pavane sombre et lente, on est en plein jour. Le visage admirable, le torse imberbe et le signe de croix que je fais en cachette, comme le faisait ma mère.

« Il » sont trois personnes aimées qui ont disparu un jour puis ont réapparu. Le silence n'est pas l'absence, l'absence n'est pas la mort. Mais en suis-je bien sûr ?

Sébastien Allard

CORRESPONDANCES POÉTIQUES

Le téléphone sonne… Il répond… en italien… puis s'isole, en jetant à intervalles irréguliers des regards furtifs autour de lui. Il se retourne, lève la tête vers le mur rempli de tableaux. Il sort un crayon, un calepin, griffonne quelque chose, raccroche. *« Continuons ! »* Il a déjà franchi le seuil de la salle suivante, et de la suivante encore. *« Je crois que je n'ai pas très bien vu le jeune homme accroché là-haut »*, dit-il. Où était-ce, déjà ? On revient, on le cherche, on le trouve. *« Non, finalement non, cela ne me parle pas. »* Comment a-t-il pu le voir ? Il lui tournait le dos, il nous tournait le dos.

Pour un conservateur, la visite du musée avec Patrice Chéreau déconcerte et stimule à la fois. Mettant à l'épreuve les certitudes acquises dans ce monde que son interlocuteur croit avoir organisé, Patrice provoque des attentes inédites comme un désir d'aventure. L'accrochage, patiemment, amoureusement ordonné quelquefois, les beaux rythmes, les échos chromatiques, les échanges de regards des portraits, tout ce discours est anéanti par une course apparemment désordonnée. On ne défile pas devant les œuvres comme devant le saint sacrement, on ne perd pas de temps à contempler la logique scientifique qui a présidé à l'accrochage. Par les mouvements de son corps de visiteur, par cette fuite dans les enfilades et de brusques arrêts devant une toile, par des retours en arrière et de soudains changements de direction, Patrice déconstruit ce que le musée lui propose tout prêt, bien ordonné, comme une évidence. Un observateur qui serait placé dans la verrière zénithale et observerait son étrange comportement songerait au travail de l'abeille. Patrice déconstruit en butinant ; non seulement il se nourrit du nectar de chaque œuvre qu'il choisit mais, ce faisant, il les féconde, établissant entre elles des correspondances secrètes et qui lui sont propres, libérées des contraintes de la chronologie, du classement par école, des genres, si chers au musée. L'intimisme grave, la tristesse du couple peint par Aert de Gelder éveillent le souvenir du *Jeune Garçon* mélancolique de Navez qu'il lui faut revoir, tout de suite, quelques salles plus loin. Quelque chose comme une histoire de famille, une histoire de revenants les lie. Et l'on songe alors à *Rêve d'automne* de Jon Fosse qu'il montera, au cœur du Louvre, dans le salon Denon. La sensualité opulente, la poitrine si ostensiblement mise en lumière de la *Jeune Femme* de Salomon de Bray invoquent comme une évidence *L'Origine du monde* de Courbet, au musée d'Orsay. Étonnamment, c'est ce second tableau qui, dans sa crudité, lui explique le premier, rappelant ce que la représentation de cette femme nue à mi-corps et qui se penche hors du cadre peut avoir de sexuel. Que fait-elle ? Que regarde-t-elle ? Pourquoi s'offre-t-elle ainsi, en toute impudeur ? Derrière la figure d'étude réapparaît alors le modèle vivant, dans sa sensualité originelle, celle que l'artiste a peinte, désirée sûrement. Le musée, où le temps qui passe semble s'être figé, a tendance à atténuer cela ; l'aura de l'œuvre magnifiée par son écrin, prise dans les rets du discours de l'histoire de l'art, étouffe en partie ce que l'on voit *vraiment*. L'art peut tuer l'homme. On l'aura compris, il n'est pas vraiment question de rapprochements formels, quoique, quelquefois, Patrice se laisse emporter par le jeu des mains de *L'Homme au gant* de Titien et de celui d'un portrait d'homme par Philippe de Champaigne. Mais, face à de tels chefs-d'œuvre, peut-on y échapper vraiment ? Finalement, est-ce le jeu des mains ou l'humanité bouleversante de ces deux visages rapprochés qui l'attirent et avec lesquels, comme avec des acteurs qui le séduisent, il a envie de raconter une histoire ? Dans chaque œuvre qui « *lui parle* », c'est une tranche d'humanité qu'il découvre, une archéologie du sentiment qu'il met au jour. Derrière l'œuvre, derrière le sujet représenté, banal apparemment parce que le visiteur ou l'historien s'y sont trop vite habitués, c'est l'homme, la vie qu'il traque, dans sa beauté et sa faiblesse. Répondre au téléphone, continuer à marcher vite dans les salles du musée, c'est faire entrer le monde, le banal, la vie dans le temple, pour mieux révéler la distance qu'il y a de l'art à la vie, pour mieux aussi souligner ce que l'art doit à la vie. Un jour, il a placé côte à côte le *Saint Sébastien soigné par sainte Irène* de Francesco del Cairo et une photographie de Nan Goldin, *David in Bed*. D'un côté le buste du saint renversé sur lequel tombe la lumière ; sainte Irène, vieille et ridée, se penche et le soigne. De l'autre, une ampoule qui pend au-dessus d'un lit, à l'arrière-plan la silhouette floue d'un homme allongé. L'œuvre actuelle, la solitude de *David in Bed*, nous ramène au sens véritable de l'iconographie galvaudée de *Saint Sébastien*. Qu'est-ce que cela représente *au fond* ? Un corps qui souffre, un corps marqué par la lumière de la grâce, un corps jeune et beau, sacrifié et confronté au désir d'une femme, vieille. Il ne s'agit pas d'ériger sur les ruines du Musée (avec un M majuscule) ainsi démantelé les contingences d'un musée imaginaire, formel et intellectuel, de substituer un ordre à un autre, mais, avec *« les visages et les corps »* – et il insiste pour l'article défini –, de ranimer la part de vie enfermée, figée pour l'éternité dans l'œuvre d'art muséifiée.

« Non, finalement, non, cela ne me parle pas. » Longtemps, j'ai pris cette expression pour une phrase toute faite, une formulation qui lui était propre, lorsque, pour son exposition, Vincent Huguet et moi-même lui proposions des photographies d'œuvres qui ne lui convenaient pas ou qu'il rejetait. J'aurais dû me méfier de la formulation négative. Car, en parcourant les salles avec lui, j'ai compris qu'il fallait l'entendre au sens premier. Il va d'une toile à une autre, comme si c'étaient elles qui lui parlaient et non lui qui les choisissait. Quelquefois il en aperçoit une, au loin, il se dirige vers elle, d'un pas rapide, arrivé à proximité il fait volte-face : *« Non, c'est admirable, mais cela ne me parle pas ! »* Peut-être devrait-il plutôt dire : *« Cela ne se parle pas ! »* Ces correspondances en effet s'établissent peu à peu, se construisent, évoluent, dans un long travail de sélection, d'élimination, marqué par des regrets (*Les Raboteurs de parquet* de Caillebotte qui ne viendront pas offrir le sacrifice de leurs corps magnifiés par le travail au *Christ mort* de Philippe de Champaigne), des retours inespérés ou des entrées en scène inattendues. *Aline Chassériau*, engoncée dans une robe qui enferme, masque, contraint son corps de jeune femme, lui parle, mais que lui dit-elle au juste ? La réponse reste floue, jusqu'à ce que survienne, un jour, l'admirable nu féminin de Jacob van Loo, accroché au second rang dans les salles de peinture hollandaise. Même format, ou presque, même âge. Deux sœurs ? Ou, *au fond*, une même femme ? Ce nu *« trivial »*, ces *« mamelles flasques »*, pour reprendre la

formule de Michiels, mettent au jour la lutte que, sous les tissus épais, le corps de la bourgeoise du XIXe siècle mène contre le costume qui l'étouffe. Dans la matière même, derrière la gamme colorée assourdie, les noirs et les marrons, la pose figée d'Aline, l'air vient à manquer. En même temps, cette dignité affichée révèle la cruauté du regard d'un spectateur-voyeur sur la Hollandaise déshabillée. Son vêtement glisse, elle le retient comme elle peut ; de la main droite, elle tripote une chaîne d'or, dérisoire, pendue à son cou, comme si elle cherchait à dissimuler une beauté trop imparfaite. Le metteur en scène est le révélateur de ce dialogue des œuvres, qui se découvrent l'une à l'autre dans des correspondances poétiques.

Au final, il s'élève de tous ces visages et de ces corps, rassemblés comme dans un grand opéra, un long chant mélancolique et plaintif, cruel quelquefois, avec ses moments de grâce et de désespoir, une quête de la beauté, à tout instant menacée par le temps, par le travail, par le désir, par le regard du spectateur. Que reste-t-il au terme de ce tri ? La beauté éternelle et immuable, celle qui regarde du côté de l'idéal, a disparu : peu de corps d'hommes exaltés dans la force de l'âge, ou alors seulement soumis à une contrainte, des christs morts, des dépositions, des saints anémiés ou des philosophes au bord du suicide… quand ils ne sont pas disséqués, débités en morceaux comme dans ces *Fragments anatomiques* de Géricault. Peu de femmes opulentes (sauf celle de Salomon de Bray), ou alors absorbées dans la solitude de leur salle de bains (le grand *Nu à la baignoire* de Bonnard) ; une seule femme dont la beauté rayonne, mais, dans ce concert de peaux laiteuses, elle apparaît comme un défi, car elle est noire ; assise comme une duchesse, elle transgresse, dans sa nudité, les canons du portrait. À l'inverse, on ne trouvera pas trace d'un monstrueux expressionniste qui, par une singularité trop appuyée, viendrait mettre en scène de façon ostentatoire la transgression de cet idéal. On est dans l'entre-deux, dans un monde banal, trivial parfois, où le *laid*, au sens où pouvait l'entendre un homme du XIXe siècle – c'est-à-dire un refus de la beauté abstraite –, affleure sans cesse : on trouvera donc des vieillards (*Le Boxeur* de Bonnard, une vieille de Denner, l'*Autoportrait* de Tintoret), des fous (*La Folle Monomane du jeu* de Géricault), des jeunes gens à la peau marquée par le travail (la *Jeune Fille aux panier d'œufs* de Jacob Gerritz Cuyp), des visages déformés (*Portrait de Michel Leiris* par

Francis Bacon). Cette menace du *laid* est surtout l'espace dans lequel peut s'exprimer la singularité de chaque être humain, dégagé des contraintes de la représentation sociale, des codes esthétiques, des modes ou d'un idéal abstrait, par essence unificateur : Géricault, dont le nom vient souvent presque à égalité avec celui de Bonnard dans les choix de Patrice, l'avait bien compris. C'est dans cette blessure aussi que le spectateur parvient à une forme d'intimité avec l'œuvre d'art, car elle rend possible l'identification : le désespoir de cette vieille dévorée de l'intérieur par sa propre folie, la frontalité brutale d'un Tintoret qui, au seuil de la mort, la regarde en face.

Et puis la confrontation, par instant, du *laid* et du lustre – par nature éphémère – de la jeunesse, pour mieux révéler la permanence du désir. Car dans ce monde imaginaire que reconstitue Patrice Chéreau, comme un reflet du nôtre, les hommes et les femmes luttent pour avoir, ne serait-ce qu'un instant encore, leur part de beauté : c'est sainte Irène amoureusement penchée sur le corps de saint Sébastien, c'est le vieux Tintoret, c'est la monomane de Géricault que Patrice avait pensé, un moment, accrocher de part et d'autre de la photographie d'un jeune homme nu par Nan Goldin. C'est surtout *L'Homme au gant* de Titien, la première œuvre entrée dans cet univers, placée sous le regard de l'autoportrait en boxeur de Bonnard. La grâce aristocratique du jeune homme, qui n'est plus qualifié que par un accessoire de mode, confronté au visage rougi, suintant, à l'essoufflement d'un Bonnard vieillissant ; le luxe de la mise du Vénitien, son air vaguement rêveur opposé à la nudité du corps du boxeur, mais d'un corps qui s'affaisse ; la pose mélancolique du premier contre le décentrement du second. C'est une lutte âpre que semble livrer Bonnard, une lutte dans laquelle il retourne contre lui-même, dans un geste de défi – à moins que ce ne soit de désespoir –, son poing saigneux, une lutte encore dans laquelle il ouvre péniblement la bouche – cherche-t-il à crier sa douleur ? –, une lutte dans laquelle ses traits peu à peu se dissolvent dans la matière. Il résiste, mais il s'efface, le temps l'efface, bientôt ne restera plus que sa trace. L'autoportrait de Bonnard résonnera alors comme un *memento mori* ou un *carpe diem* à l'adresse du jeune homme de Titien ; le musée aura été le lieu de cette rencontre impossible.

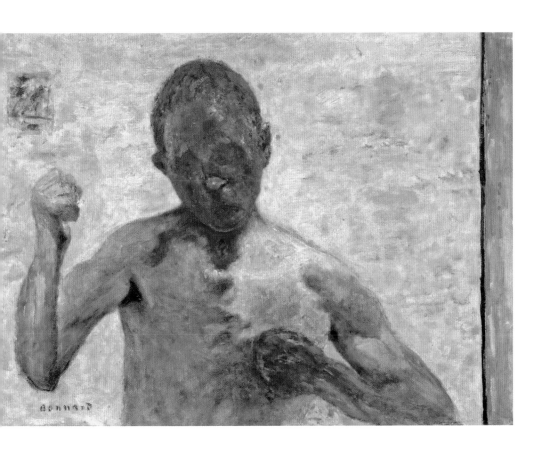

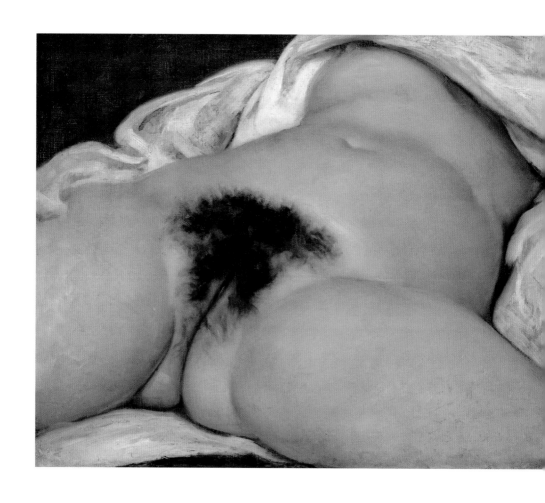

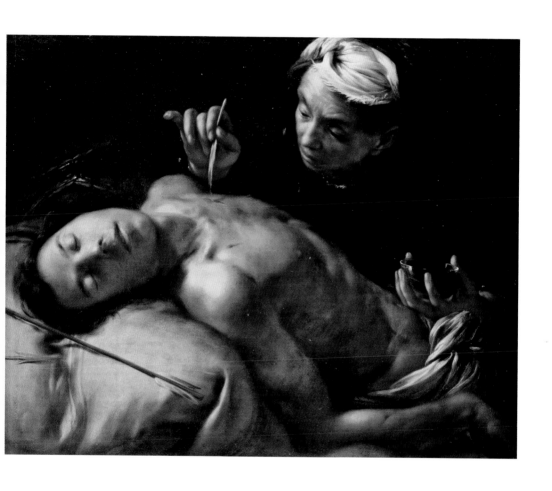

LES IMAGES ET LES MOTS

CLÉMENT HERVIEU-LÉGER – Quand tu parles de ton travail, l'obsession des mots et du texte revient très souvent et pourtant, quand tu évoques tes débuts, tu parles d'une chose extrêmement artisanale et du théâtre presque comme une résolution picturale. Tes parents étaient peintres, tu as fréquenté les musées. Ce rapport au texte est-il arrivé au fur et à mesure, s'ajoutant à ce rapport pictural que tu avais avec le théâtre, ou était-ce d'emblée une association des images et des mots ?

PATRICE CHÉREAU – Je ne suis pas certain qu'avec le temps mes souvenirs ne se soient pas falsifiés. Comme j'entre dans une période où on commence à me les demander beaucoup, je ne suis pas sûr de ne pas les inventer un peu ; en tout cas je sais qu'il y a des lacunes dans ce que je raconte. Mais c'est vrai, mes parents m'emmenaient au musée quand j'étais enfant, ils me montraient des peintures, des monuments, d'autres musées au cours de nos voyages. Donc, je peux juste dire ceci : ma formation était picturale et mon début lié à la peinture. Ça tenait aussi tout bêtement à la capacité que j'avais de dessiner, au fait que, chez moi, il y avait du matériel pour le faire. Du papier à dessin, des crayons, des gouaches et des aquarelles, des tables à dessin partout.

Pourquoi, de là, me suis-je mis à faire du théâtre, je me le suis toujours demandé et je n'ai pas la réponse. Pourquoi, brusquement, je me suis intéressé au cinéma, ça, je le sais un peu plus, ça venait du théâtre, ça venait d'une filiation que j'ai établie tôt entre les deux, mais pourquoi ai-je voulu faire du théâtre à l'âge de quatorze ans, honnêtement, je ne le sais pas. Je sais que c'est ce que je voulais faire, mais ce n'est pas une réponse. C'est sans doute relié à la peinture, par une connexion que je ne fais pas clairement, à l'atelier de dessin de mes parents, au fait que mon père peignait – mais je l'ai vu peindre tard, parce qu'au début, ma mère et mon père ne faisaient tous les deux que du dessin de tissus, donc il y avait beaucoup de calques, beaucoup de dessins floraux, des motifs abstraits ou décoratifs. Et c'est dû sûrement à ces visites au Louvre, oui, que j'ai peut-être un peu fantasmées et dont d'ailleurs je ne me rappelle plus si bien. Je me souviens de deux ou trois choses, mais qui n'étaient pas de la peinture, plutôt les antiquités égyptiennes. Ce qui est sûr, c'est que les images étaient là au début, et que les mots sont arrivés plus tard. Les mots arrivent tout de suite quand on fait du théâtre, évidemment, ils arrivent à la seconde où on fait une audition, où on réunit des acteurs et où on leur donne la parole, mais les mots n'ont pas compté tant que ça au début pour moi. C'est arrivé progressivement, et probablement même *récemment.*

c.h.-l. – Quand tu as commencé, tu dessinais toi-même les décors de tes pièces.

p.c. – Les décors, oui. Jamais les costumes. Dès les premières fois, j'ai travaillé avec un costumier, Jacques Schmidt que j'avais connu au groupe théâtral du lycée. Mais les trois ou quatre premiers décors, oui, c'est moi qui les ai faits. Ensuite j'ai toujours travaillé avec le même décorateur, Richard Peduzzi. Même si j'ai failli un jour travailler avec un autre. C'était après le *Ring* et j'étais fâché contre Richard, ou lui contre moi… C'était pour un *Tristan* que j'aurais dû faire à la Scala en 1978. J'ai rencontré Luciano Damiani et puis pour finir tout ça m'a ennuyé, j'ai trouvé ça tellement moins drôle qu'avec Richard. Richard le sait, je le lui ai dit, il n'y a pas très longtemps, après avoir gardé le silence pendant trente ans ! J'ai toujours les maquettes de Damiani chez moi et Richard qui, comme moi, avait une admiration extrême pour Damiani, l'a exposé depuis à la villa Médicis, donc il y a prescription…

c.h.-l. – Ce n'est pas très étonnant que tu aies, à un moment donné, dessiné toi-même tes décors. Il y a un lien très fort entre ton travail et l'architecture.

p.c. – Une mise en scène pour moi, quand j'étais petit, c'était d'abord un décor, pas autre chose… Oui, il y a un lien fort entre mon travail et la manière dont on fabrique des images. La vraie chose belle de mon enfance, c'est que tout le monde peignait dans la maison, tout le monde y faisait des dessins. Dans la chambre de mes parents, on refermait les lits et il y avait soudain quatre tables à dessin. Dans mes premiers souvenirs, c'est-à-dire quand mon père n'avait pas encore recommencé la peinture après dix-huit ans d'arrêt, il y avait des dessinatrices qui arrivaient à neuf heures du matin et qui restaient à travailler toute la journée. Ce n'était plus un appartement, c'était un atelier.

J'ai très tôt voyagé autour des images que je faisais moi-même : pour mes premières mises en scène, je dessinais toutes les mises en place des personnages. J'y passais des jours et des jours. Jusqu'aux *Soldats* de Lenz où j'avais commencé à peindre le décor moi-même et à faire d'assez beaux marbres en trompe-l'œil. Je ne connaissais pas encore beaucoup Richard. Je m'occupais peu des acteurs, je voulais surtout savoir comment faire pour que le faux marbre arrive à faire *tourner* la colonne, que le trompe-l'œil figure réellement une colonne ronde. J'étais très fier parce que j'avais peint aussi un grand ciel d'orage dans un angle ! J'avais une relation viscérale avec les images et avec la manière de les produire. Peu importe si ce que j'en faisais était bien ou mal, mais disons que c'était un temps de travail où je ne m'occupais pas des acteurs.

c.h.-l. – En t'écoutant, on a le sentiment que la peinture qui était, à tes débuts, ton inspiration principale a aujourd'hui laissé place à la littérature.

p.c. – Je lisais beaucoup lorsque j'ai commencé, mais pendant longtemps, uniquement des livres *utiles,* des livres d'analyse de textes de théâtre, des exégèses, tout sur Shakespeare par exemple… Peu de romans, hormis quelques fictions qui m'ont nourri pendant des années et des années comme *Les Liaisons dangereuses.* La lecture, le plaisir que j'en retire est récent, et du coup la peinture s'est un peu éloignée. Si je pense à la peinture que j'aimais enfant, je pense à un tout petit tableau de Géricault, au Louvre : *Le Four à plâtre.* C'est un tableau où il y a une lumière de jour et un ciel de nuit, avec une épaisse fumée blanche qui sort du four et, dans mon souvenir, un cheval blanc qui se cabre. Est-ce que c'est la fumée que j'aimais ? Le cheval, qui n'est pas blanc du tout en fait ? Il y avait aussi, bien sûr, *Le Radeau de la Méduse,* mais pour d'autres raisons : découvrir qu'il y a dans l'horreur une composante érotique qui m'était inconnue à l'époque et qui est la lecture même du peintre.

c.h.-l. – C'est aussi de la peinture qu'est né ton goût pour la lumière ?

p.c. – Mon goût pour la lumière doit venir de mon obstination à vouloir fabriquer une image *complète*. Je m'occupais du décor, mais je voulais savoir comment le décor que j'avais conçu allait être dessiné par la lumière. Ce goût pour la lumière venait aussi des incroyables prouesses techniques des éclairages dans les spectacles de Giorgio Strehler. Il y avait là une maîtrise totalement nouvelle pour moi, et fascinante ; ensuite il y a eu le travail avec André Diot – qui n'avait encore jamais fait de théâtre et qui m'a appris comment on éclairait au cinéma, chose que j'ai essayé de reproduire au théâtre. À aucun moment on ne peut essayer d'imiter la peinture. On ne peut pas imiter un tableau. Mais j'ai regardé beaucoup de peintures, et la situation dans laquelle je suis, l'éducation que j'ai reçue, font que je n'ai pas besoin d'aller regarder de la peinture pour que ce que je fais y ressemble. Peut-être qu'il sort naturellement de mes mains quelque chose qui est toujours un peu comme de la peinture. Et je sais qu'il faut justement que je me défende de ça. J'ai une connaissance picturale qui est forte, voilà tout. Parce que je pensais alors – je le pense toujours un peu – que la peinture est un art supérieur au théâtre, parce qu'elle est le lieu d'un combat totalement solitaire : c'est ce que je voyais chez mon père.

c.h.-l. – Au début, l'émotion naissait donc d'abord de ce que tu voyais…

p.c. – L'émotion naissait des images, de la capacité que je savais avoir en moi de fabriquer des images ; c'est sûrement pour ça que ça me lasse aujourd'hui, parce que je les ai faites déjà et que j'ai envie de chercher ailleurs, et que la production, la fabrication d'images ne peut pas non plus se passer dans une surenchère en disant : *« Je vais faire encore mieux, ou encore plus grand, ou encore plus subtil »* ; et donc à un moment donné, le théâtre que je me suis mis à faire s'est raréfié, il s'est simplifié, volontairement. Il s'est centré sur les mots, justement : les mots, le texte des pièces ne sont pas une réalité qu'on affronte tout de suite, il me semble. Au départ, quand on est très jeune, on est préoccupé par son propre monde, et on le met dans les spectacles, quoi qu'il arrive. On force la pièce à *rendre gorge,* à accepter notre réalité. Plus tard, on découvre qu'il y a des différences entre les pièces, que toutes les pièces ne sont pas écrites de la même façon, et ça on ne peut vraiment s'en rendre compte que quand on fait des pièces dans sa propre langue. Si on ne fait que travailler avec des traductions, on travaille avec un français qui est *corrompu,* un texte qui est beau souvent, mais qui a des limites, puisqu'on ne sait pas exactement si c'est ça que voulait dire l'original : la poésie de l'original a disparu, remplacée par une autre.

L'importance des mots et du texte est donc née un jour à la fréquentation des auteurs français. Or j'en ai très peu fait. C'est une découverte qui est arrivée tard, à Nanterre, avec l'impact de deux chocs violents : la cohabitation dans un même théâtre, en quelques mois, de Koltès et de Jean Genet. Jusque-là, je savais un peu diriger les acteurs, sûrement, mais c'était beaucoup sur des *idées.* Je me souviens de Roland Bertin quittant le plateau un jour dans *Toller* de Dorst : il devait marcher sur les pointes, tenir une rose à la main et ne pas regarder la coulisse – ce qui est très peu pratique pour sortir – et il est rentré en coulisse et a dit : *« Bon, maintenant, allez habiter ça ! »* C'est-à-dire que c'était une image, pas plus : il fallait la remplir, l'habiter. Et quand on débute, on essaie de remplir chaque image d'une émotion qui est la même la plupart du temps, une émotion récurrente et passe-partout ; on veut de l'émotion, à charge pour le comédien de la fournir et d'habiter les mots, les places, les idées de mise en scène, comme il peut. Je n'en tire pas de conclusion mais je veux dire que, au fil des années, les mots sont devenus de plus en plus importants et que c'est sûrement lié à Koltès, à la bataille que j'ai dû mener pour comprendre moi-même comment il fallait le jouer.

c.h.-l. – En ce sens, la rencontre avec Koltès a donc été un tournant ? Comment s'est-elle passée ?

P.C. – La rencontre avec Koltès s'est faite par hasard, comme la plupart des choses qui me sont arrivées : ce sont des événements, des gens qui sont venus à moi, dans une grande preuve de confiance. Dans le cas de Bernard-Marie, c'est quelqu'un que je connaissais depuis très longtemps, un homme essentiel qui s'appelait Hubert Gignoux, qui est mort récemment. Il avait été directeur du Centre dramatique de l'Ouest, puis du Centre dramatique de l'Est, devenu le Théâtre national de Strasbourg. Une grande figure de la décentralisation théâtrale, un ami fidèle et exigeant qui m'a suivi longtemps et guidé – comme il l'a fait ensuite avec Koltès, puis Laurent Gaudé. Il m'a appelé un jour et m'a dit de lire cet auteur, Koltès, dont j'avais reçu deux pièces par ailleurs. Il a eu raison de m'appeler, puisqu'en général les pièces qu'on reçoit, on ne les lit pas toujours ; et là, du coup, je les ai lues. Je les ai lues et j'étais très surpris, puisque je n'avais pas de réelle fréquentation des auteurs contemporains. C'était en 1979, à une époque où je devais justement choisir une pièce, un spectacle pour le TNP de Villeurbanne, avoir une idée, que je n'avais pas mais que j'étais au bord d'avoir, et qui était le *Peer Gynt* d'Ibsen, pour revenir au théâtre que j'avais abandonné, comme d'habitude, depuis trois ou quatre ans.

J'ai lu ces pièces qu'il m'avait envoyées, et je me souviens qu'au début je ne comprenais pas grand-chose. Mais je n'avais pas de critère, je ne savais pas ce qu'il fallait aimer dans une pièce contemporaine, j'étais loin du théâtre contemporain. C'était une erreur mais c'était comme ça. Là, j'ai été frappé par une écriture singulière. Je ne savais pas encore si je l'aimais. *Mais ce n'était pas écrit comme d'habitude.* Ce n'était pas écrit comme on parle, non plus. Apparemment oui, mais en fait pas du tout. Et je me suis dit alors que la seule façon de comprendre ou de me situer par rapport à cette écriture, dont je sentais confusément la force, c'était de monter une de ces deux pièces. Pas de la monter comme on le faisait parfois, c'est-à-dire de se dédouaner avec une *mise en espace*. À l'époque, Lucien Attoun m'avait dit : « *Ne t'engage pas si tu préfères, tu n'es pas forcé de t'engager, on fait juste une mise en espace.* » C'est-à-dire quatorze jours en gros avec le texte à la main, puis on la joue quatre fois. Cela m'a semblé une façon de se dire qu'on avait monté la pièce sans vraiment la monter, sans lui avoir donné tout à fait sa chance. Je me suis donc dit : « *Non, je vais la monter. La monter vraiment.* »

C.H.-L. – Et c'est ainsi que tu ouvres le théâtre des Amandiers, à Nanterre, avec *Combat de nègre et de chiens*, d'un auteur quasiment inconnu…

P.C. – D'un auteur *presque* inconnu, car entre-temps on l'avait un tout petit peu joué. Koltès m'avait donné à lire deux textes, *Combat de nègre et de chiens* et *La Nuit juste avant les forêts*. J'avais lu *La Nuit juste avant les forêts*, mais je m'étais dit : « *Alors là, je ne comprends rien du tout à cette pièce* », qui était une seule phrase, sans point, un long monologue qui me semblait obscur. Et, un jour, un acteur du Français, Richard Fontana, me demande : « *Tu ne reçois pas des auteurs contemporains, par hasard ?* » Je lui dis : « *Écoute si, je viens d'en recevoir une, tiens, celle-là je n'y comprends rien, prends-la.* » Il l'a lue, il l'a aimée, il l'a jouée, donc bien avant *Combat de nègre et de chiens*. C'était *La Nuit juste avant les forêts*, au Petit-Odéon, mis en scène par Jean-Luc Boutté. Voilà. Et moi de mon côté j'ai monté *Combat de nègre*, mais plus tard.

Je crois, pour revenir à cette question du texte, de l'importance des mots, que c'est lors des premières répétitions de cette pièce que j'ai compris quelque chose. Je ne savais pas comment il fallait la jouer, mais en voyant la façon dont les comédiens me la proposaient, je me suis dit que ce n'était sûrement pas comme ça. Ça ne pouvait pas être ça, c'était trop simple, c'était jouer à trop court terme, dans un jeu réaliste à la petite semaine, trop *cinéma*.

C.H.-L. – Est-ce donc le fait de monter la pièce d'un auteur vivant, après avoir monté des « classiques », qui a fait évoluer ton rapport avec le texte ?

P.C. – Quand j'ai rencontré Koltès, tout a été compliqué, parce que je l'ai rencontré en décembre 1979, j'ai pris Nanterre en 1981, et on a ouvert en 1982. J'ai commencé à répéter en 1982, mais la première n'a eu lieu qu'en février 1983, c'est-à-dire presque trois ans après que nous ne nous sommes vus. Il a donc attendu longtemps, il a rongé son frein et il a eu le temps d'écrire une nouvelle pièce, qui était *Quai Ouest*. Après *Combat de nègre*, j'ai décidé de monter *Quai Ouest*. Et avant même la première de *Quai Ouest*, avant même le début des répétitions, il avait déjà écrit *Dans la solitude des champs de coton*. Bernard voulait que ce soit moi qui monte ses pièces, parce que je pense qu'il avait aimé *La Dispute*, très longtemps auparavant.

Donc il m'avait choisi, ce n'est pas moi qui l'ai choisi, c'est lui. Un jour, d'ailleurs, quelqu'un lui a demandé – c'était ça la très belle relation, difficile quelquefois, mais très belle, dans laquelle on était –, un jour quelqu'un lui a demandé lors d'une conférence de presse à Bruxelles, je crois pour *Dans la solitude des champs de coton* : « *Est-ce que vous écrivez pour Chéreau ?* » Il a répondu : « *Non, je n'écris pas pour Chéreau, j'écris pour moi, mais quand mes pièces sont écrites, elles sont pour Chéreau.* » Le raisonnement me convenait, j'étais moi-même dans ce raisonnement-là qui était de comprendre, d'écouter le monde à travers les yeux d'un auteur qui avait mon âge. C'était une relation dans laquelle je n'avais jamais été avec qui que ce soit, puisque je m'étais fait une spécialité de ce qu'on appelait la *relecture des classiques*. Avec Koltès, c'était se dire tout simplement : « *Je monterai la prochaine pièce, parce que, de deux choses l'une : ou elle est très bonne et je la monte* – puisqu'il fallait souvent décider de les monter avant même de les avoir lues –, *ou elle est moins bonne et je ne vais pas l'abandonner, donc je continue.* » J'ai programmé *Le Retour au désert*, sans l'avoir lue, et j'ai même fait la distribution sans l'avoir tout à fait lue non plus, car elle n'était pas finie. Jusqu'au jour où, la maladie aidant, et de l'énervement aussi de la part de Bernard, il m'a demandé de ne pas monter *Roberto Zucco*. Ce que j'ai accepté et qui m'arrangeait, parce qu'à l'époque j'étais perturbé par la pièce. En d'autres termes, comme elle ne ressemblait pas aux autres, je ne l'avais pas vraiment comprise, celle-là non plus (si je continue, on va pouvoir dire que je n'ai jamais rien compris à Koltès : mais c'est vrai que j'étais pris de court à chaque fois, et c'est bien sûr ce que j'ai aimé…). Et je n'ai pas monté *Zucco*. Bernard était énervé parce que chaque fois que je montais une de ses pièces, plus aucun metteur en scène français ne s'en occupait et ça ne faisait pas du tout son affaire, ni artistiquement ni surtout financièrement.

c.h.-l. – Pour être plus précis, n'est-ce pas justement à ce moment-là, avec Koltès, que tu t'éloignes des images pour aller de plus en plus vers les mots ? On a un peu le sentiment que tu es pris dans une tension entre, d'un côté, ce qu'étaient ces influences picturales, et de l'autre, surtout aujourd'hui, un rapport qui devient plus littéraire au théâtre – et au cinéma aussi. J'ai été frappé en voyant *Persécution* par sa dimension littéraire, moins par les dialogues ou le sens des mots que par le mode narratif, qui est finalement beaucoup plus proche d'un roman, d'une autobiographie, que du théâtre. Tu dis : « *On croise toujours un roman quand on travaille sur un projet* » ; j'ai l'impression qu'aujourd'hui tu croises plus de romans que de tableaux.

P.C. – Oui, parce que le roman me semble peut-être aujourd'hui un art plus accompli et qui me comble, probablement parce que la peinture, j'en ai un peu plus fait le tour, si je puis dire, au sens où je suis quelqu'un qui a aimé énormément une certaine peinture, celle qui s'est arrêtée aujourd'hui. Ce n'est pas un jugement sur l'art contemporain, mais ce qu'on peint aujourd'hui, c'est parfois autre chose que de la peinture, et d'une certaine façon, pour moi, après Bacon ça s'est un tout petit peu arrêté. On en fait l'expérience dans certains musées quand l'exposition suit un ordre chronologique. Dans les dernières salles brusquement, tout semble un peu plus anecdotique, comment dire, décoratif. Les abstraits que j'aime sont anciens. Je fais partie des gens qui pensent que tout a été peint… Il y a Bacon, mais Bacon est un peintre classique. Il y a Nicolas de Staël, Poliakov, Fautrier… Mais le lien avec la figuration n'a jamais été coupé chez eux. Qui d'autre ? Basquiat, oui. Twombly, qui me bouleverse, mais ce n'est pas un gamin, lui non plus…

Par contre, je peux lire des romans d'aujourd'hui, je veux dire, d'hier, de ce matin, de demain. La littérature (qu'on la transforme en films ou pas…), c'est la matière infinie de rêveries dont on peut nourrir les scénarios quand on en écrit, le théâtre quand on en fait et à plus forte raison l'opéra – deux arts qui me semblent toujours insuffisants et dont j'ai toujours l'impression qu'il faut les nourrir de quelque chose qui viendrait d'ailleurs. C'est vrai, les romans ont pris une grande place dans ma vie.

C.H.-L. – Tu dirais que la littérature est la chose la plus importante pour toi, aujourd'hui ?

P.C. – Deux choses ont pris de la place et semblent remplacer progressivement les autres, et je me plie à cette évolution. Ce sont les mots, oui, le roman, c'est vrai, la chose littéraire, la littérature, face à laquelle je suis dans une *soumission* qui semble de plus en plus grande. Et puis les acteurs. Parce que j'ai mis du temps à comprendre comment les faire travailler. Donc deux choses, oui, qui sûrement ont pris le dessus ou vont le prendre encore plus.

c.h.-l. – Tu parles de *soumission* à la littérature ?

p.c. – *Soumission à l'écrit* sont des mots que j'ai lus un jour dans un bel article à propos d'Orson Welles. C'est pour cela que je reprends ces mots. Oui, c'est une chose que les gens qui ont travaillé avec moi savent bien : une soumission totale, *au texte*. Aux mots. Le pouvoir des mots, celui d'une construction, d'une musique secrète, la facture littéraire de ce que je fais, les mots qui ouvrent vers quelque chose, un *autre chose*. Quand je dis texte, cela peut être un roman (même pas celui que j'adapte, celui qui me fera rêver un jour au cinéma), cela peut être une partition, un scénario : ce qui est écrit, comme c'est écrit. Soumission n'a rien à voir avec respect : inventer les mots, les réinventer, revenir à ce que m'a inspiré le roman, mais en en analysant le texte. Quand je fais ces lectures publiques du *Grand Inquisiteur* (un chapitre des *Frères Karamazov*) ou mieux encore du *Coma* de Pierre Guyotat, qui n'est pas une traduction, je fais la même chose : je les décortique, je laisse les mots, ces mots-là, dans cet ordre-là, me donner de la liberté, me laisser inventer, provoquer mon imaginaire. Tous les soirs, techniquement, comme un exercice pratique, comme ce que j'ai fait avec Koltès, comme ce que je fais avec Romain Duris ces jours-ci pour *La Nuit juste avant les forêts* au Louvre, ce que j'ai fait avec *Phèdre*, ce que je fais avec la musique et les opéras. Et les livrets d'opéra. Et ce que je fais aussi avec les scénarios de mes films, même si c'est moi qui en ai écrit une part importante. J'aime cette idée de soumission à une œuvre, littéraire ou pas, je m'y reconnais. J'aime aussi utiliser le mot *soumission,* parce que je ne suis pas soumis du tout, en fait, mais tu as raison : il y a une composante littéraire dans ce que je fais maintenant, et on la voit à l'œuvre dans *Persécution*, c'est absolument vrai… Il n'y a pas de différence pour moi entre la musique de Mozart et le livret de *Così*, le livret de la *Maison des morts* ou le livret de *Tristan*, le texte de *Phèdre*, la musique de *Tristan* (il y a toujours deux textes dans les opéras, la musique et le texte du livret) ou le texte de Dostoïevski dans *Le Grand Inquisiteur,* ou *Dans la solitude des champs de coton,* pour moi il n'y a pas de différence. Soumission aux mots, à la trame, au récit, à ce que l'auteur a agencé, écriture, mots qui ouvrent des portes et qui sont comme des gestes, parole qui raconte, mouvements : tout est musique, ce qu'on nous donne à voir, à entendre, ce que les auteurs nous ont livré, les corps sont des musiques, les silences encore plus… Analyser la structure, la fabrication d'un récit, son *agencement*, comment on raconte une histoire, comment on transmet ce récit aux autres, comment on le délivre dans sa complexité, dans ses secrets, sans tout dévoiler mais en transmettant de l'épaisseur et de la vérité, en se sentant si totalement libre parce que pas libre du tout mais captif de son propre imaginaire.

C.H.-L. – Il y a donc là quelque chose qui est au centre de ton métier ?

P.C. – Oui. Ce qui est *écrit*. Y compris les silences…

Vincent Huguet

DE LA MAISON DES PENSÉES

« Les musées sont des maisons qui abritent seulement des pensées. »

Marcel Proust, 1898

C'est après avoir vu à Amsterdam une exposition consacrée à Rembrandt que Proust nota cette phrase définitive. Lui, l'inlassable visiteur du Louvre, le promeneur de Venise, le traducteur de Ruskin, aimait d'autant plus les musées qu'il avait compris très tôt que les *« tableaux sont précieux »* mais que *« la toile, les couleurs qui s'y sont séchées et le bois doré lui-même qui l'encadre ne le sont pas. »* Que les peintures n'existent que par l'écho qu'elles trouvent en nous, que par ce qu'elles provoquent, de doux ou de violent. Dans *À la recherche du temps perdu*, Bergotte meurt devant *« le petit pan de mur jaune »* peint dans la *Vue de Delft* de Vermeer, mais Swann parvient à faire renaître son désir pour Odette quand il associe son image aux visages peints par Botticelli à la Renaissance. *« Une promenade dans un musée n'aura d'intérêt véritable pour un penseur que quand en aura tout à coup jailli une de ces idées, qui aussitôt lui paraissent riches et susceptibles d'en engendrer d'autres précieuses ! »*, écrivait-il encore. Une affirmation qui pourrait être aujourd'hui celle d'un autre visiteur du Louvre, Patrice Chéreau.

Comme l'écrivain, le metteur en scène a fréquenté le musée dès son enfance et sans doute comme lui aussi, il en a moins fait un lieu de contemplation et d'admiration qu'un lieu qui mène ailleurs. Proust se consolait de Venise en allant voir les Titien du Louvre, Patrice Chéreau y a trouvé une porte le ramenant vers une terre d'élection qu'il quitte et retrouve régulièrement : le théâtre. Le musée serait-il un révélateur des *« intermittences du cœur »*, un endroit très à part où l'on trouve ce que l'on n'était pas venu chercher, ou au contraire un simple miroir de nos obsessions ? Telle est sans doute la question qui se pose depuis quelques années à chaque automne, quand le Louvre invite une personnalité à s'installer dans ses murs non pour 9 minutes et 43 secondes, comme le trio infernal de *Bande à part*, mais pour un mois. C'est en tout cas celle à laquelle s'est confronté Patrice Chéreau lorsqu'il a accepté cette invitation. Lui, l'homme de la scène, l'homme des plateaux de théâtre, d'opéra et de cinéma, que pouvait-il avoir à dire dans ce temple des beaux-arts où tout paraît parfois si figé, où tant de choses sont interdites ? Comme le théâtre, le musée a ses règles, ses rituels, son public et Patrice Chéreau y est entré à tâtons, à la fois familier et étranger, avec l'intuition que, sous les *« couleurs séchées »* et le *« bois doré »*, le Louvre pouvait être la chambre de tous les échos. Une maison habitée de pensées qu'il aurait l'étrange pouvoir de rendre visibles. Le désir, en tout cas, de montrer certaines d'entre elles, celles que lui a vues ou cru voir. Proust ajoutait cette phrase ambiguë : *« Ceux qui sont le moins capables de pénétrer ces pensées savent que ce sont des pensées qu'ils regardent dans ces tableaux placés les uns après les autres (…) »*.

Comme souvent, l'approche de Patrice Chéreau s'est d'abord construite sur des refus : n'aborder en aucun cas le lieu comme un nouveau décor à sa disposition – c'est d'ailleurs au Portugal qu'il tourna les scènes de *La Reine Margot* qui se jouaient au Louvre –, encore moins y dresser un *« musée imaginaire »* à l'aune de ses souvenirs et de ses goûts, tant le narcissisme du *« bon plaisir »* lui est étranger. Ces interdits étant posés, Patrice Chéreau a alors procédé, plus ou moins consciemment, comme il le fait quand il prépare un nouveau spectacle ou un nouveau film. Au départ, il y a une histoire, celle que racontent le texte de la pièce, le livret de l'opéra ou le livre qui deviendra scénario. Après de multiples lectures, recherches, en partant de premières intuitions, dont il n'est jamais sûr qu'elles soient les bonnes, Patrice Chéreau commence à écrire sa propre histoire, celle qu'à son tour il racontera à un public. Lire et relire l'histoire de départ a été cette fois venir et revenir sans cesse au Louvre, parcourir les salles et les galeries, regarder les tableaux et les sculptures avec la conviction qu'il ne pouvait réaliser là qu'une œuvre à part entière, déployée dans le musée mais tenue par une unité de lieu, de temps et surtout de sens. Il en a trouvé le titre un peu avant de savoir ce qu'il en ferait exactement : *« Les visages et les corps »*. Et puis, alors qu'il cherchait un texte pour un projet d'opéra avec Pierre Boulez, il a découvert *Rêve d'automne* de Jon Fosse, une pièce qui se déroule dans un cimetière. Du cimetière au musée, une étrange analogie s'est faite et le désir de théâtre a surgi : monter *Rêve d'automne* dans le salon Denon lui est apparu comme une évidence. Avec le recul, on peut même avancer que ce choix intuitif a donné le ton au reste de sa composition. Dans ce lieu qui n'est pas fait pour accueillir du théâtre, les visages et les corps imaginés par Jon Fosse et rendus à la vie par Patrice Chéreau incarneront des situations, des sentiments et des questions présents pour la plupart depuis longtemps dans l'imaginaire du metteur en scène – le désir qui naît, meurt, ne parvient pas à se dire ou à se vivre –, mais qui, à quelques mètres de *La Joconde*, auront une résonnance très particulière. Pour autant, cette métaphore de départ qui associe le musée au cimetière ne signifie pas que Patrice Chéreau, dont on a souvent décrit l'univers plus empli d'ombres que de lumière, ait choisi de faire du Louvre un opéra funèbre. Il semble au contraire que chacun des actes qui composent « *Les visages et les corps* » soit parcouru de vagues contraires, certaines ramenant au rivage de la vie, d'autres emportant au large de la mort. Il en est ainsi dans le choix des tableaux qui composent son exposition, où *L'Origine du monde* de Courbet rencontre un *Christ mort* de Philippe de Champaigne et où des corps disloqués par Géricault côtoient d'autres animés par le bonheur de vivre. Des sentiments ou des états opposés mais pas irréconciliables, qui expliquent sans doute que Patrice Chéreau ait souhaité exposer aussi des photographies de Nan Goldin, qui est certainement l'artiste contemporaine qui a le mieux montré qu'un visage pouvait en même temps souffrir et jouir, sourire et pleurer, vaincre et tout perdre. Comme dans de nombreux films et spectacles de Patrice Chéreau, où les choses naissent et meurent au même instant, où un même geste peut dire l'amour et la mort. Nulle schizophrénie dans ce regard, mais plutôt la tentative de toute une vie de montrer comment l'un n'existe pas sans l'autre. Dans *La Nuit juste avant les forêts* de Bernard-Marie Koltès, Romain Duris incarnera lors de deux nuits au salon Denon un garçon qui, allongé sur un lit d'hôpital, n'a sans doute jamais été aussi vivant, aussi proche de lui-même que quand il ne lui reste plus que quelques minutes à vivre. Et Waltraud Meier, qui interprètera les *Wesendonck Lieder* de Wagner, telle une Lady Macbeth somnambule, dans les salles de peinture espagnole, chantera ces mots :

À partir du début des années 1970, donc, on sent une inflexion dans la façon de préparer les spectacles : Patrice Chéreau n'est plus seul et ce sont désormais les « *images* » de Richard Peduzzi qu'il va habiter. Ou plutôt les lieux, des lieux à la fois imaginaires et extrêmement concrets, des espaces de rêve mais aussi des volumes conçus avec une complicité très rare dans l'histoire du théâtre. Dans leur façon de travailler, selon les projets et selon les moments, Richard Peduzzi propose des dessins plus ou moins aboutis et parfois nombreux, des aquarelles ou des maquettes en volume. De ce dialogue, les archives parlent peu, et c'est Richard Peduzzi qui conserve la majorité de ces « *images* », mais l'un comme l'autre ont souvent dit ce sentiment qui les rapproche depuis quarante ans, cette certitude de voir les mêmes choses dans un spectacle avec pour corollaire le doute qu'il en soit de même pour les autres. Exposés également au Louvre, les dessins de Richard Peduzzi sont sans doute plus fidèles que ne le seraient des photographies des spectacles qu'ils ont réalisés ensemble, car ils ne figent rien. Ils montrent des lieux tels que Patrice Chéreau les a vus avant de leur donner vie. En ce sens aussi le Louvre est une sorte de première car le salon Denon, où sera joué *Rêve d'automne*, est un décor qui existe et ne sort pas de l'atelier de Richard Peduzzi, même si celui-ci en a déjà préparé sa version pour le Théâtre de la Ville et les autres lieux qui accueilleront la pièce en tournée. Et que Patrice Chéreau a peut-être plus pensé sa mise en scène en observant la maquette réalisée par Richard Peduzzi qu'en regardant le salon Denon.

Si le Louvre est donc pour Patrice Chéreau l'occasion de s'interroger sur les images, les siennes et celles des autres, il constitue aussi un lieu à habiter, un lieu dans lequel inventer une temporalité. C'est la vie que Patrice Chéreau semble y chercher, le temps de la vie. Lors d'une répétition de *De la maison des morts* à New York en octobre 2009, Patrice Chéreau, agacé par le geste trop théâtral d'un chanteur qui, devant fumer une cigarette sur scène, soufflait des volutes quasi volcaniques, le lui fit remarquer et lui demanda s'il ne pouvait pas tout simplement fumer « *comme on fume dans la vie* ». « *Comme dans la quoi ?* » répondit le chanteur interloqué, comme si c'était un mot imprononçable sur une scène d'opéra… Et un musée est peut-être moins encore qu'un théâtre dans la « *vraie vie* ». Plus de choses y sont interdites et, pourtant, on peut toujours imaginer que la vie et la mort ne sont pas toujours là où on pense. Certains mots prononcés dans les pièces que Patrice Chéreau a choisi de monter résonneront sans doute d'une façon particulière dans le musée plongé dans l'obscurité de la nuit. Ainsi d'une réplique de la mère qui, dans *Rêve d'automne*, adresse ces paroles à son fils :

> « *LA MÈRE*
> Sourit
> > *Oui ce n'est pas ça*
> Bref silence
> > *Mais tu aurais pu venir nous voir*
> > *Tu n'es pas venu à la maison*
> > *depuis plusieurs années*
> > *C'est comme si*
> > *on était morts*
> > *pour toi* »

Entre ces reproches maternels à un fils distant et le désir fou du garçon qui, dans *La Nuit juste avant les forêts*, invente toutes les façons possibles de retenir l'autre, pour qu'il ne parte pas tout de suite, qu'il reste encore un peu, le manque et l'abandon sont au cœur de la valse des corps imaginée par Patrice Chéreau. Ou peut-être, plus encore, la peur de l'abandon, celle qui donne encore à des corps harassés depuis longtemps l'énergie de se mouvoir, de faire un geste qui n'arrêtera sans doute pas le cours des choses mais le ralentira. Dans ses films et ses spectacles, Patrice Chéreau montre souvent ce temps en suspens, où l'espoir n'est plus que celui de quelques instants, juste le temps d'un dernier baiser, d'un dernier regard, d'une main que l'on caresse comme on ne l'avait jamais fait de sa vie parce que l'on sait qu'elle va disparaître à jamais. Et ce ne sont pas toujours la maladie ou la mort qui séparent ainsi : souvent, c'est la conscience qu'un sentiment est inexorablement condamné au déclin et qu'il vaut mieux partir avant pour ne pas assister à la chute. Dans *Persécution* (2009), Daniel (joué par Romain Duris) se glisse presque clandestinement une nuit dans l'appartement de Sonia (Charlotte Gainsbourg), qu'il aime et qu'il vient observer dans son sommeil comme pour apaiser ses doutes ou au contraire les affermir : l'aime-t-elle ? Ne lit-on pas parfois mieux sur un visage endormi que sur des lèvres qui disent des mots que l'on ne comprend pas ? Sonia réveillée, le dialogue reprend, malhabile, un verre se brise en éclats par accident ; les choses reprennent leur cours.

Cette façon d'observer les êtres entre chien et loup, de traquer le rayon vert sur les visages et les corps, Patrice Chéreau l'a peut-être inconsciemment prolongée dans le choix des tableaux qu'il montre au Louvre. Saura-t-on jamais contre quoi ou contre qui le *Boxeur* peint par Bonnard s'apprête à lutter ? Et à quoi songe *L'Homme au gant* de Titien… Que dire, encore, de la *Bethsabée au bain* de Rembrandt qui, tenant la lettre de David à la main comme on tiendrait un arrêt de mort, s'abandonne pourtant dans un clair-obscur sensuel à une certaine douceur, à une résignation un peu triste que l'on a souvent qualifiée d'érotique. Souvent, ces instants sont plus déterminants que des mois, que des années entières. Pour dire la force du premier face-à-face de *Rêve d'automne*, entre un homme et une femme qui se sont aimés et se retrouvent, Patrice Chéreau parle aux comédiens de *Tristan et Isolde*, cet autre couple qui s'est aimé follement dès le premier regard et se retrouve dix ans plus tard, après un interminable silence. Quels gestes ? Quels regards ? Quelle intonation peut bien prendre la voix ? Et le temps, qui abandonne soudain sa linéarité pour le vertige des boucles. Il n'y a sans doute pas de mot pour dire ce que fait alors le *« metteur en scène »* ou le cinéaste, cet homme qui va faire voir aux autres, qui va faire exister fugitivement l'instant où deux personnes qui se sont aimées se retrouvent. Quand Le Brun peint le Christ mort dans les bras de sa mère ou quand Picasso dessine au pastel *L'Étreinte* d'un couple, c'est sans doute une image, le choix d'arrêter la scène à un moment précis, même si celui qui la regarde dans son immobilité a la liberté de la remettre en mouvement, de lui ajouter un avant et un après. Si Patrice Chéreau considère aujourd'hui que les images sont *« dangereuses »*, tout comme le lieu qui les conserve, c'est que *« le musée est un lieu qui fige, où l'on peut toujours trouver la même chose au même endroit »*. Le *« danger »*, donc, le vrai danger, c'est quand le temps n'est plus suspendu mais arrêté, quand le geste n'est plus en devenir mais figé, quand la mort a définitivement éteint tout espoir de soubresaut. Toujours à propos de *Tristan et Isolde*, qu'il a mis en scène à la Scala en 2008, et particulièrement du long duo entre Tristan et Isolde au deuxième acte, Patrice Chéreau dit : « *La modification, c'est ça qu'on filme, qu'on écrit, la modification de l'acteur, la façon dont la scène prend forme et transforme, la dynamique interne d'une image.* » Une « *dynamique interne* » qui distingue peut-être les œuvres d'art entre celles qui en sont dotées, qui ont ce pouvoir de se mettre en mouvement, malgré leur condition, et les autres. Tout comme certains acteurs sont capables de cette « *modification* » et d'autres pas. En choisissant d'accrocher selon un plan précis des tableaux d'époques très différentes dans son exposition, Patrice Chéreau pose sans doute cette question au musée, éprouvant la force des œuvres qu'il conserve en les confrontant différemment, comme s'il s'agissait de tester leur capacité à raconter autre chose que ce que mentionne le cartel. Au Louvre comme dans la vie, les visages et les corps ne meurent vraiment que lorsqu'ils ont renoncé à se transformer.

Chevalier de village

- on est pas loin de la Révolution française.

la noblesse de la vie + le donne le spectacle de sa misère paysanne au plateau.

Dans un ensemble décoratif parfait (mur avec petites marches ivoire)
vêtum gros blanc au dessus, (encore au dessus les spectateurs dans le noir)

deux nobles prennent le thé... habillés en noir tous les deux, ils sont
servis par les paysans de leur ferme (quelques enfants jeunes qui prennent entre les morceaux
des choses à repasser et s'en vont partout). Peu de meubles. (Ils sont tous été vendus) les massifs
le tout doré être dans l'extrême comté. (c'est trop comté. les sièges sont presque de tout...
trop par des hommes.

les instruments de musique sont sur scène.

le thé doit être la cérémonie (inutile pour les gens qui travaillent) d'une
classe qui s'accroche aux apparences. le chevalier (comme militaire
a une cravate mais non pas, sen servit il trop fort en...
les gens midi. leur danse ouvre ses livres de comptes et les referm aussitôt
elle ne pourra le thé. le chevalier paraissait dans l'un...
dans tous les thé dans la maison on peut pas...
Il cherche désespérément comment faire, au désespoir de cause il
la donne à Mann Danse.

Blaise   ...
Claudine, Catherine
Colin   ...
Colette - Touzout.
Mme Damis   Jocelyn
le Chevalier Dumoyer
2 paysans - Sylviane
            Laure
Arlequin - ...

piano préparé
2 cymbales - guitare

7.7

léger

I - <u>Bris d'une tasse à thé en porcelaine</u>

1933

— Ah sapristi

Leo- Cassée c'est agréable

Mi- Je vous demande pardon

Leo - Mon dieu ce n'est pas pour la valeur de la chose en elle-même
mais cela décomplète la douzaine

Mo - Reste à onze

Leo- Et si par hasard nous sommes douze il faudra attendre qu'une
personne soit partie pour servir le thé

Mo- Et comme ils ne partent jamais que lorsque le thé est servi

Leo Je suis vraiment désolé

— Désolé ça ne raccommode pas au moins donnez-moi la soucoupe

— J'y aurais pris garde ne rien casser dans cette maison

4   le ragtime (fin)

5   le charleston ,—

6   le galop-mêlée.

7   le cantique.

8   le (2ᵉ partie

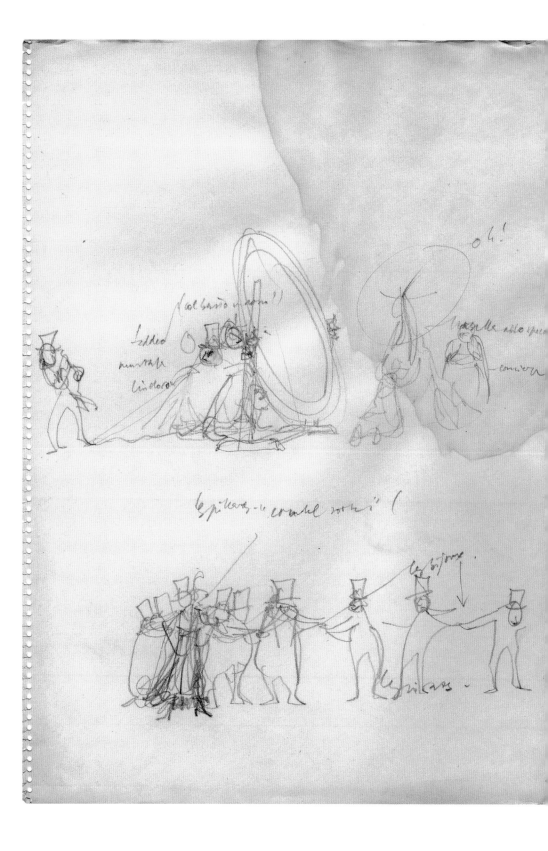

122

Souvenir. Satellite finale. la méla. 9

ième. Satellite finale. Nous, sommes innocents... 10

Corrège — bataille d'école : (la sorcière

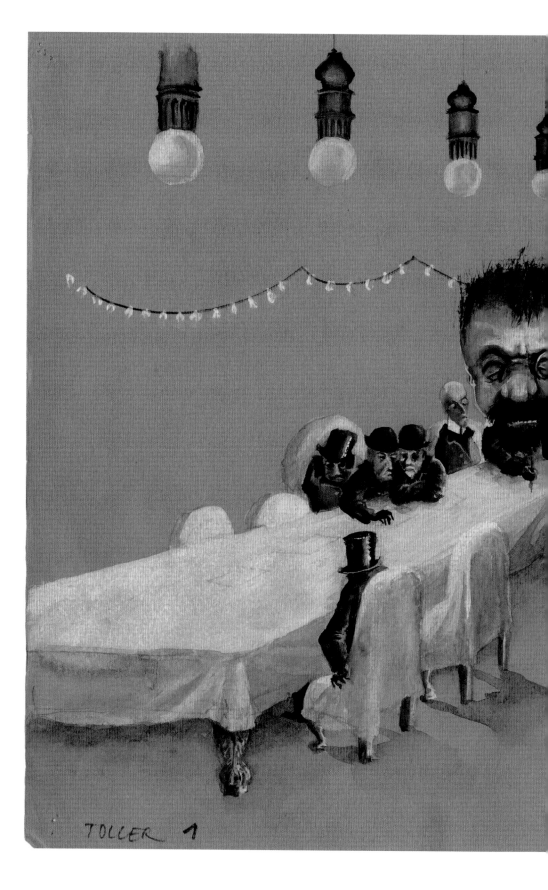

TOLLER 1

Il primo ministro social-democratico
— il colpo di volontà

25 maj 70

131

TOLLER   *lacerata anarchica borghesi*.   9

13 août 70

SHAKESPEARE   RICHARD 2   cité prison

135

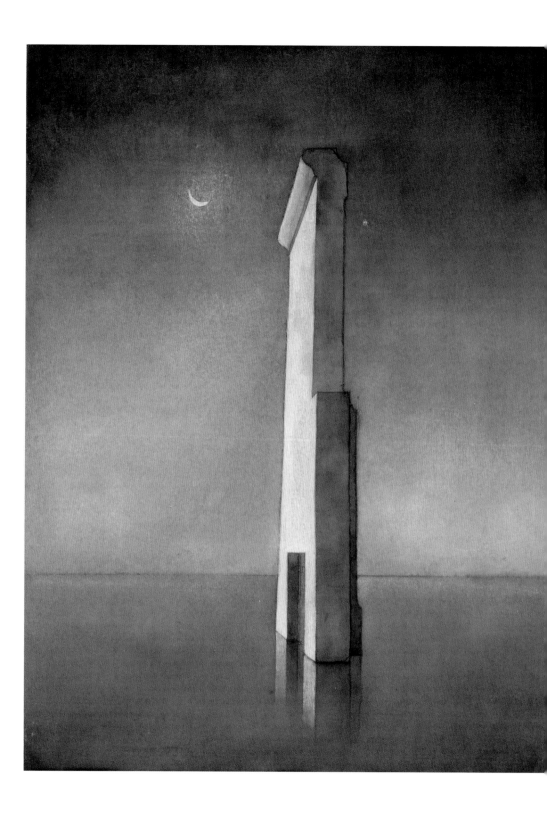

FORMATIONS

Clément Hervieu-Léger – Tes parents avaient-ils aussi un lien avec le théâtre ?

Patrice Chéreau – Non, aucun. Il y avait des livres à la maison, dans la bibliothèque, beaucoup de livres, ma mère lisait, mon père ne lisait pas ; il avait acheté des livres de la collection Blanche de Gallimard au mètre et ça remplissait la bibliothèque. Et quand on lui disait, parce qu'il y avait tout Proust par exemple : « *Est-ce que vous avez lu* La Recherche *?* », il répondait : « *Je l'ai parcourue.* » Non, pas de lien avec le théâtre, ni avec le cinéma ; un tout petit peu plus avec la musique, avec la révolution un jour à la maison d'un *électrophone* que mes parents avaient acheté.

C.H.-L. – C'est à ce moment-là que tu as entendu les premières musiques de la semaine sainte de Séville ?

P.C. – Oui, tout était un peu lié à l'Espagne à cette époque, mon père avait de grands amis peintres, surtout catalans, et on avait commencé à aller en Espagne tous les ans. J'ai entendu ces musiques avant même de voir la semaine sainte proprement dite, très longtemps avant. Ces musiques m'ont frappé et j'étais tout petit. Ça et les *saetas*, c'est-à-dire ces chants *a capella* qui sont chantés depuis les balcons ou dans la rue pour saluer le passage d'un Christ ou d'une Vierge. Et le flamenco, évidemment. Je dois avoir quelque part encore un coffret d'anthologie du flamenco qui a été acheté par mes parents dans les années 1950. Donc oui, ces musiques de la semaine sainte, acides et primitives, telles que celle que j'ai mise dans *Ceux qui m'aiment prendront le train*, sont un souvenir d'enfance profond et violent.

c.h.-l. – La peinture, l'Espagne… Tes premiers souvenirs de théâtre ne sont donc pas liés à tes parents. C'est venu comment ? Tu allais voir des pièces ?

p.c. – Beaucoup. Quand j'avais douze ou treize ans, j'allais au théâtre une fois par semaine avec mon argent de poche. J'allais au Théâtre des Nations qui était au théâtre Sarah-Bernhardt [aujourd'hui le Théâtre de la Ville]. La première fois, j'y ai vu *Œdipe roi* en grec, avec les écouteurs, je n'y comprenais rien, je n'aimais pas trop, c'était classique, mais il y avait une immense actrice, Katina Paxinou, qui avait joué la mère dans *Rocco et ses frères*. Et le grand acteur du Théâtre national grec, Alexis Minotis, je me souviens encore des noms. En 1955, à l'âge de onze ans, j'ai vu l'Opéra de Pékin avec ma mère ; j'allais toujours acheter les places moi-même. Et puis dans le désert théâtral des années 1958-1960, avec ces pièces d'Audiberti et d'Anouilh que je n'aimais pas trop, j'ai été très vite fou du TNP de Vilar. 1957, dans mon souvenir, c'est *Le Malade imaginaire* avec Daniel Sorano. C'était la très belle période du TNP : *Lorenzaccio* avec et mis en scène par Gérard Philipe [1958], *Macbeth* avec Alain Cuny et Maria Casarès… J'étais abonné. Abonné, ça voulait dire recevoir par la poste les cinq billets pour les cinq spectacles, le journal du théâtre, *Bref*, pouvoir assister à des conférences, des concerts. Il y avait tous les dimanches matins des petits concerts, des lectures avec Vilar, Maria Casarès, Yves Gasc aussi, Roger Mollien. J'avais une grande admiration pour Vilar, pour ce qu'il faisait, le TNP était alors pour moi le théâtre par excellence.

c.h.-l. – Et quand commences-tu, toi, à faire du théâtre ?

p.c. – Très tôt, mais de façon sérieuse en 1959-1960, au moment où je quitte le lycée Montaigne (qui s'arrêtait à la troisième) pour passer au lycée Louis-le-Grand. Avant même que j'aie quitté Montaigne, j'avais vu dans le hall de grands panneaux : *« Groupe théâtral du lycée Louis-le-Grand, inscrivez-vous. »* J'avais décidé d'y aller. C'était un bon groupe parce qu'on y travaillait vraiment, on y faisait les costumes, les décors…

J'ai appris à faire des mortaises, à fabriquer des coins en contre-plaqué pour que les châssis tiennent bien, à tendre des toiles… Au début, on ne me donnait pas de rôles parce que j'avais fait rire tout le monde la première fois que j'étais monté sur le plateau. Mais j'ai continué durant toutes ces années, première, philo, qui ont vraiment été des années d'étude que j'ai aimées. Je passais mes journées dans ce groupe théâtral. J'en étais devenu un pilier indispensable et inamovible : je faisais tout.

C.H.-L. – Et très tôt tu as montré un talent et un univers singuliers, hors du commun. As-tu eu conscience de ta précocité ?

P.C. – Un talent, non, une énergie en tout cas. On n'a pas conscience d'être précoce sauf lorsqu'on discerne soudain dans l'œil des autres une sorte de surprise, on n'en a pas conscience si on se bat seul… J'en ai eu conscience dans le regard des autres. Je l'ai vu lors de ma première mise en scène en 1964, qui venait après beaucoup d'expériences de théâtre, beaucoup de répétitions, avec des combats d'escrime, beaucoup de fréquentations. La première fois, dans l'œil de Jean-Pierre Vincent et de sa femme, Hélène, exactement : j'ai vu que je savais leur dire des choses. J'ai vu que je savais *quelque chose*… Qu'il me venait des idées, tout bêtement, des images, bien sûr, à l'époque. Et que je savais soumettre les gens à ces images. Ce n'était pas encore de la direction d'acteurs, loin s'en faut, mais quelque chose était là.

C.H.-L. – C'était sur quel spectacle en particulier ?

P.C. – Pour *L'Intervention* [de Victor Hugo, 1964]. Quelque chose m'a troublé, je me suis dit : «*J'ai en main… oui, j'ai l'impression de disposer d'un outil.*» Après, j'ai appris la force ou la violence de la désillusion, ce moment qui vient naturellement après le deuxième spectacle où on se dit : bon, je pense que j'ai épuisé toutes mes cartouches et que je ne serai jamais capable d'en faire un troisième. C'était après *Fuente Ovejuna* [de Lope de Vega, 1965], une impression qui vient sans doute du sentiment que tout était allé trop vite, qu'il fallait étayer maintenant, construire… La tournée de *Fuente Ovejuna* était difficile, il fallait convaincre les gens de prendre le spectacle. C'était dans des groupes universitaires ; et je me disais – ce que je me dis souvent encore, d'ailleurs – que je n'avais pas le droit d'*emmerder* tout le monde pour qu'ils prennent mon spectacle, parce que de toute façon ce n'était pas bon. Et qu'il y avait de l'imposture là-dedans. Ce sentiment d'imposture est venu tôt et ne me quitte jamais vraiment. Je vois bien que *ça marche*, ce que je fais, mais l'idée que ça puisse se dégrader, ou que je puisse vivre sur un acquis est quand même toujours très présente. Et quand les critiques sont mauvaises, je me dis forcément : *« Et si c'était vrai ? »*

C.H.-L. – D'autant que la précocité au théâtre est une chose compliquée. La précocité d'un jeune pianiste, par exemple, peut être évidente. Je pense à Daniel Barenboim, soliste à dix ans. Il peut en aller de même pour la danse. Ce sont des choses qui sont beaucoup plus visibles. Le théâtre, de ce point de vue, est différent. Nombre de jeunes gens s'essayent à la mise en scène ou à l'art dramatique : ils peuvent être doués, ce n'est pas pour ça qu'ils sont précoces.

P.C. – Non, parce que, en plus, au metteur en scène, il n'est pas demandé de qualification particulière, on peut n'être formé à rien, ne pas savoir chanter, ni marcher, ni parler, ni danser mais être metteur en scène. Ce qui était mon cas.

C.H.-L. – C'est donc dans le regard des autres ?

P.C. – Le regard des autres est important. À un moment donné, j'ai senti où était ma… Appelons ça ma force, ou mon obstination, ou mon acharnement, qui venait du fait qu'être sur un plateau était devenu si incroyablement important pour moi. J'avais trouvé ma place. Or je ne l'avais pas dans la vie. J'avais trouvé ma place, il y avait des gens qui travaillaient avec moi, je faisais partie d'un groupe, même en étant très solitaire. Comme l'impression que le plateau m'avait sauvé et m'offrait une vérification supplémentaire : découvrir que je savais quoi y faire. Mais jamais en tant qu'acteur.

C.H.-L. – Tu disais qu'en tant qu'acteur, ça n'avait pas véritablement été très probant au début.

P.C. – C'est peu de le dire. Mais comme je ne voulais pas être acteur, ce n'était pas grave… J'ai joué dans plusieurs pièces et je me suis découvert finalement deux spécialités dans lesquelles on pouvait m'utiliser : l'escrime et jouer les vieillards ! Pour un *Roméo et Juliette* calamiteux dans lequel je jouais mon premier vieillard, j'étais même allé chez le seul perruquier de l'époque, qui s'appelait Bertrand, rue du Faubourg-Montmartre, et j'y avais commandé des postiches : j'avais une moustache et une barbiche, payées avec mon argent de poche, je devais avoir dix-sept ans. Je me maquillais dans les toilettes, dans la salle de bains…

C.H.-L. – Elle était peut-être là aussi, la précocité ? C'était une vision du plateau déjà, une vision beaucoup plus large que celle qu'un adolescent ou un jeune adulte peut se faire d'un plateau de théâtre.

P.C. – Oui, mais toujours et très tôt du point de vue de la mise en scène. Je ne sais pas si je connaissais alors ce mot de *metteur en scène*. Je me souviens qu'il y a eu des moments, bien avant, où j'ai fait répéter mes camarades de classe dans la cour, quand j'étais en cinquième, je pense, je devais avoir onze ou douze ans. À un moment donné, je me suis rendu compte que j'aimais *organiser*, pour utiliser un terme simple : je donnais des indications, je jouais les rôles… Mais je ne sais pas d'où ça vient.

C.H.-L. – Être metteur en scène est une formidable prise de pouvoir. Et il faut que ce soit accepté. Il faut en tout cas assumer ce pouvoir-là, ce pouvoir d'organiser, qui est un pouvoir énorme.

P.C. – Ce n'était pas le pouvoir qui m'intéressait, c'était de donner vie à ce que je voulais figurer. Et j'ai vite compris qu'il fallait être *directif*…

C.H.-L. – Et pourtant tu dis, enfin tu laisses entendre que ce n'était pas si simple, pour toi, intimement, individuellement, dans la vie.

P.C. – Non. Du jour où j'ai commencé à être sur un plateau de théâtre, à faire un peu tout, m'occuper de la lumière, jouer un petit rôle parfois, dire une réplique, mort de trouille, me battre une épée à la main, régler des projecteurs, aller dans les caves du lycée pour y chercher

des meubles, ou des vieilles lampes, de ce jour-là j'ai compris la différence entre ce que je ne vivais pas dans la vie, car j'étais renfermé sur
moi – principalement vis-à-vis de mes parents à qui je ne racontais pas
grand-chose, ou si peu –, et un endroit magique où je m'épanouissais.
Où je savais où j'étais, où je savais ce que j'avais à faire, où j'étais prêt à
tout faire. Donc oui, c'était un endroit où j'étais dans une communauté
d'intérêts avec les autres. Relative, parce que je ne me suis jamais trop
reconnu dans les vies trop collectives, j'ai toujours eu du mal. Mais il y
avait désormais deux vies : une vie où je ne vivais pas et qui n'était pas
intéressante, et le théâtre de l'autre côté.

c.h.-l. – Cette vie hors du théâtre était-elle douloureuse ?

p.c. – On ne sait pas très bien comment on vit cette douleur quand on est
adolescent, on se sent malheureux, mais en même temps on est content
d'être malheureux. Malheureux, mais content d'être seul. J'étais content
de montrer mon malheur. Ça m'est resté longtemps, et je pense que ça
continue toujours un peu d'ailleurs. On attrape des réflexes qui ne vous
quittent plus. D'autant que c'est finalement dans ce sentiment de malheur qu'on a l'impression de puiser de la force, et même de l'inspiration.
Donc tout se mélange. Pourquoi j'étais seul, je ne sais plus. Ce n'était
pas non plus une douleur terrible, ni une dépression violente… Mais
solitaire, oui. Je ne viens pas d'une famille où on a été particulièrement
malheureux, au contraire. Mes parents se sont toujours très bien occu-
pés de nous, je n'ai jamais pensé non plus qu'il était nécessaire d'avoir
des conflits avec eux, ça ne m'a pas intéressé ; j'étais attentif à ce qu'ils
pouvaient m'apprendre et à ce que je pouvais recevoir. Par contre il y
avait de l'hostilité à l'idée que je fasse du théâtre, et que je puisse me
spécialiser là-dedans…

c.h.-l. – Vraiment ?

p.c. – Oui, ils voulaient pour moi un métier solide : comme eux-mêmes
tiraient le diable par la queue et étaient incroyablement *bohèmes*…
Au sens de ne pas avoir un centime, ne rien posséder, jongler toujours
avec l'argent. Ils ne voulaient pas de cela pour moi, c'est le mécanisme

classique : « *Ce n'est pas sûr comme métier, tu as déjà ton bac, il faut que tu aies ta licence…* » Mais ils le disaient avec amour. Et j'ai écouté, je me suis inscrit en licence d'allemand, car j'aimais les études et que les études d'allemand n'étaient pas du tout un cauchemar : elles me permettaient de lire de la littérature allemande. J'ai suivi aussi les cours de Bernard Dort à l'Institut d'études théâtrales, rue Danton à l'époque, sans y être inscrit. Quand j'étais encore au lycée, j'y allais et je demandais à Dort : « *Est-ce que je peux m'asseoir ?* », et puis j'écoutais, pendant des heures. Je me rajoutais des études ! Je parlais souvent avec Édouard Pfrimmer aussi, un autre magnifique professeur d'allemand et critique de la revue *Théâtre populaire* que j'achetais chaque fois qu'elle paraissait, ou que je volais à la librairie Maspero.

C.H.-L. – À partir de quel moment as-tu eu le sentiment que ta vie – pas seulement ta vie personnelle, mais aussi ta vie professionnelle – se passerait là ?

P.C. – À la seconde où je suis monté sur un plateau. Je ne me suis pas posé la question de *quoi faire*, puisque très sérieusement et très scolairement je faisais ma licence, que j'ai suivie tant que j'ai pu, terminant deux certificats sur les quatre. C'était en 1965, j'en étais déjà à ma deuxième mise en scène, et j'ai continué jusqu'au moment où j'ai oublié de faire les deux autres certificats, parce que j'ai fait une troisième mise en scène et pris la direction d'un théâtre. Les choses se sont enchaînées et je me suis retrouvé metteur en scène *professionnel*, comme on dit. Sans penser une seconde qu'il faille batailler pour le faire, c'était un glissement naturel…

C.H.-L. – C'est une chose qui s'est imposée comme ça…

P.C. – Je n'ai pas eu à réfléchir : j'ai fait une mise en scène, j'en ai fait une deuxième, puis une troisième. Les gens sont venus me voir, les festivals de théâtre étudiants nous ont demandés ; on a présenté *Fuente Ovejuna* trois fois, quatre fois, à Marseille, en Allemagne, etc. Une troupe universitaire d'Erlangen m'a alors demandé comme metteur en scène : j'ai commencé à faire *Les Soldats* en allemand, pendant quinze jours. C'était à côté de Nuremberg, et c'était tellement déprimant… J'étais tout seul, là pour le coup, vraiment. J'ai dit que mon père était très malade, je suis parti à Paris, et je ne suis jamais revenu ! C'est la seule fois de ma vie où j'ai abandonné un spectacle. Et je leur avais envoyé un mot – il n'y avait pas de portables, pas de mails à l'époque – en disant : *« Pardon, je ne peux pas revenir. »*

En fait, mes *« années d'apprentissage »* étaient faites de deux choses : ce groupe de théâtre, et puis le cinéma. À deux pas du lycée, de l'autre côté de la place du Panthéon, il y avait la Cinémathèque française, installée à l'Institut pédagogique de la rue d'Ulm. J'y passais mes soirées avec Jean-Pierre Vincent, mon grand ami et complice de l'époque. Donc je faisais déjà ce va-et-vient cinéma-théâtre.

Chaque numéro des *Cahiers du cinéma* ou de *Premiers Plans* sur Orson Welles me réjouissait. *« En voilà un qui vient du théâtre*, me disais-je, *et qui fait du cinéma ! »* Le fait que *Citizen Kane* soit un premier film, qu'il ait été réalisé avec une troupe de théâtre qu'il avait fondée… Tout me rassurait, jusqu'à ce numéro spécial des *Cahiers* sur Planchon où il parlait si bien de la comédie musicale américaine, et où il disait à quel point il était fou de cinéma… Et lui aussi faisait du théâtre ! Et moi, je faisais du théâtre, et mes idées, j'allais les chercher dans les films que je voyais, dans le cinéma expressionniste, le cinéma allemand muet ou parlant, tout le cinéma russe, tous les Eisenstein, tous les Orson Welles. C'est sans doute à cause de ça que je suis passé magistralement à côté de la Nouvelle Vague. *À bout de souffle* pour moi, ce n'était rien, puisque ça ne pouvait pas se comparer à *Octobre* d'Eisenstein.

J'ai fait mon premier spectacle de théâtre en 1964 et mon premier film dix ans après, en 1974 et, très tôt, j'ai été admiratif des gens qui faisaient les deux : Welles et Visconti, principalement. Puis Bergman et Kazan, quand j'ai su un peu plus tard qu'ils avaient fait eux aussi du théâtre.

C.H.-L. – Dès l'adolescence, les choses se jouaient donc pour toi entre le cinéma et le théâtre.

P.C. – La seule différence, c'est que je ne faisais pas de cinéma alors que je faisais du théâtre. J'apprenais sur le tas.

c.h.-l. – Tu apprenais sur le tas et pourtant il semble que les choses soient alors allées très vite.

p.c. – En fait, à partir du jour où j'ai fait mes trois premiers spectacles, quelque chose s'est déclenché. Pourquoi ? Cela reste un mystère pour moi. *L'Intervention*, qui était couplé avec les *Scènes populaires* d'Henry Monnier [1964] – où il y avait Jérôme Deschamps et où je jouais la garde-malade, une très vieille femme –, n'a pas déclenché grand-chose, mais dès le deuxième spectacle, *Fuente Ovejuna*, ce que nous faisions a été vu, des gens ont proposé un festival en Allemagne, le festival de l'UNEF à Marseille (Alain Crombecque déjà !), et Bernard Sobel m'a proposé de venir travailler avec lui.

C'était en 1965, il nous fait cette proposition magnifique de venir refaire à Gennevilliers *L'Héritier de village* [de Marivaux]. Quand je l'ai rencontré, il faisait un festival, ce n'était pas du tout une activité permanente. Et en 1966, j'ai fait un spectacle, *L'Affaire de la rue de Lourcine* [de Labiche], grande version, avec énormément de personnes, un énorme décor, que j'avais dessiné – j'avais fait aussi le décor du *Cœur ardent* d'Ostrovski, toujours pour Sobel. Donc j'étais décorateur d'un côté, et metteur en scène de l'autre. On a joué *L'Affaire de la rue de Lourcine* trois ou quatre fois, sur un très grand plateau dans l'ancienne salle des Grésillons de Gennevilliers, qui était gigantesque, un peu comme l'ancien Chaillot, et qui a été cassé depuis. On s'est ensuite un peu brouillés avec Sobel et son équipe (parce qu'on était impossibles et très jeunes) et on a repris *L'Affaire de la rue de Lourcine* sur un plateau minuscule, qui était celui des Trois-Baudets, près de la place de Clichy. Il y avait là un monsieur qui s'appelait Jacques Canetti et qui avait ce petit théâtre où il a fait démarrer tout le monde : Guy Béart, Serge Gainsbourg, etc. Il l'avait prêté – loué – à une association très militante qui s'appelait « *Travail et Culture* ». Elle était dirigée par Maurice Delarue qui nous a hébergés à la recette. On a joué là assez longtemps. On a repris en septembre et ça a tout fait démarrer. Parce qu'on jouait en régulier à Paris. C'était un exercice hallucinant, de jouer si nombreux sur un plateau de trois, quatre mètres. Il y avait un orchestre : deux ou trois musiciens, un violon, un piano, comme d'habitude chez moi à l'époque. On crevait la faim, on dormait dans le théâtre, mais on a réussi à faire une tournée et plus personne ne nous a arrêtés.

Et puis de là, finalement, Sartrouville est venu [1966] (grâce aussi à des amis d'amis de mes parents qui avaient entendu parler de moi). À Sartrouville, après avoir discuté avec la municipalité – un théâtre ingrat où j'ai installé ma troupe –, j'ai monté *Les Soldats* [de Jacob Lenz, 1967], pièce que nous avons jouée en 1968, juste avant mai, dans la petite salle [Gémier] de Chaillot, qui venait d'être construite, où des gens l'ont vue, parmi lesquels Lila De Nobili, le peintre grec Tsarouchis… Ils en ont parlé à Gian Carlo Menotti qui dirigeait le festival des Deux-Mondes à Spoleto et qui m'a invité. Je suis parti en Italie, je venais de faire faillite avec le théâtre de Sartrouville, des dettes que je me suis trimballées pendant plus de quinze ans, j'ai fait mon premier opéra, et là Paolo Grassi m'a appelé pour venir travailler au Piccolo Teatro à Milan, ce que j'ai fait avec bonheur pendant trois ans, jusqu'au jour où Planchon m'a appelé à son tour en me disant : « *Il faudrait quand même que tu reviennes en France* », et j'ai quitté l'Italie pour le TNP de Villeurbanne. Ce qui veut dire que, en fait, je n'ai jamais rien voulu. Tout s'est enchaîné et j'ai avancé au gré des choses qu'on me demandait ou qu'on me proposait de faire. À part les films. Le cinéma, c'est moi, c'est ma volonté à moi et j'ai bataillé pour chacun d'eux. J'ai eu beaucoup de chance, c'est tout, celle entre autres que les gens ont vu, dans ce que je faisais, quelque chose de suffisamment intéressant pour me demander de continuer.

C.H.-L. – Et tu as su faire quelque chose de cette chance…

P.C. – Elle m'a donné des ailes. Je ne me suis pas posé la question de savoir à côté de quoi j'étais en train de passer ou pas, ni à côté de qui j'étais. Je faisais des spectacles. Avec une énergie qui doit ressembler un peu à celle que j'ai tout le temps, celle qui est la mienne aujourd'hui.

C.H.-L. – Est-ce que tu dirais qu'à ce moment-là le théâtre avait à voir avec la politique, pour toi ?

P.C. – Pas tout de suite. Au début, l'envie de théâtre était là, en vrac, si je puis dire. Le théâtre, c'était d'abord l'endroit où je me sentais bien. Il n'y avait pas autre chose, c'était ce que je voulais faire. Tous les jours.

Toutes les heures de la journée. Mais je pense que dans ces années-là, oui, il y a eu un tournant… Alors est-ce qu'il était politique ? Je le pense. Ce tournant, ça a été la découverte du Berliner Ensemble.

c.h.-l. – Quand as-tu découvert le Berliner Ensemble ?

p.c. – En 1960, année où je vois deux spectacles sur quatre du Berliner Ensemble. La troupe vient alors à Paris pour la troisième fois. Il présente quatre spectacles. Je vois *Galilée*, et *Arturo Ui*… Je ne vois pas *La Mère*, parce qu'on disait dans les milieux que je fréquentais que c'était outrageusement communiste – et ça l'était, et très beau –, et je ne vois pas *Mère Courage*, comme un idiot… Longtemps après, j'ai vu le film qu'ils en avaient tiré, j'ai vu les photos, c'est un spectacle que je connais par cœur, mais je ne l'ai pas vu. C'est une époque où j'allais tout le temps au théâtre, mais la découverte du Berliner Ensemble fut vraiment un des plus grands chocs esthétiques de ma vie. Je me suis dit alors : « *Là, il y a un théâtre* – je ne connaissais pas grand-chose au théâtre –, *là il y a un théâtre qui change tout. Ils ne jouent pas pareil que nous, ils viennent d'une autre culture ; et puis, de ce sens de la responsabilité des costumes, des décors, de la narration, de la dramaturgie* – ce qu'on appelait la dramaturgie –, *nous avons tout à apprendre.* » Je trouvais qu'il y avait là un savoir-faire supérieur, et enfin que c'était un théâtre plus indirectement, mais tellement plus intelligemment politique.

c.h.-l. – Qu'en retiens-tu à ce moment-là ?

p.c. – Tout m'a servi. Le jour où j'ai fait ma première mise en scène, *L'Intervention*, j'ai aussi fait mon premier décor. Mais même avant ce moment-là, je m'enfermais dans ma chambre et, sur le modèle du Berliner Ensemble, je faisais des maquettes de décor au stylo-bille pour des spectacles fictifs que je n'aurais jamais montés. J'en ai fait vingt-cinq, je pense, parmi lesquels un *Dom Juan* de Molière complet ; jusqu'au jour où – pour *L'Intervention* – j'en ai fait un pour de vrai. Et à partir de là, j'ai commencé à dessiner les mises en place, parce que j'avais vu que les décorateurs du Berliner Ensemble, Karl von Appen, ou Caspar Neher agissaient ainsi, ce qui est une tradition allemande. Moidele Bickel, qui a réalisé les costumes entre autres de *La Reine Margot*, a fait la même chose : elle ne s'est pas contentée de faire les costumes, elle a esquissé pour moi des propositions de mises en place, de mouvements. Certains de ses dessins, comme Margot devant le cadavre de La Môle, je les ai même copiés dans le film. Donc, je dessinais les mises en place et je les peignais à la gouache. C'étaient des heures de travail, mais j'aimais ça. Je les montrais, puis j'essayais de les reproduire avec les acteurs. Et là, le problème n'est pas tellement de savoir dessiner ou de savoir peindre – je ne sais plus le faire aujourd'hui, je n'ai plus de pratique –, mais le problème qui s'est posé assez vite, et qui fait que j'ai arrêté de dessiner, c'est que ça ne dit pas ce que doit faire l'acteur. Ce n'est pas parce qu'on lui montre un dessin : *«Tiens, voilà, c'est ça que tu dois faire»* qu'il va se mettre à le faire ; ça peut donner des indications de costumes, ça peut donner à la rigueur des indications de maquillage (et encore, même pas, parce qu'à l'époque en général chez moi, tout le monde était maquillé en blanc, de préférence, avec les yeux très noirs et charbonneux et les bouches très rouges) mais rien de plus. Le mystère de l'acteur restait absolument entier pour moi à l'époque.

Une autre influence du Berliner Ensemble fut, là encore, la lumière. Ils avaient une lumière très particulière, très blanche, très claire : *a giorno*. Dans mes premiers spectacles, j'ai essayé de l'imiter, cette lumière ; mais évidemment, je faisais ce que je pouvais avec le matériel que j'avais.

C.H.-L. – L'influence du Berliner Ensemble fut donc esthétique, mais tu parles aussi d'une influence très politique…

P.C. – Oui, parce que 1960, c'est ma découverte du Berliner Ensemble, mais c'est aussi et surtout la guerre d'Algérie et l'année de ma première manif.

C.H.-L. – C'était quelle manifestation ?

P.C. – C'était tout petit, mais décisif… En face de la sortie de Louis-le-Grand, de l'autre côté de la rue Saint-Jacques, il y a l'entrée de la Sorbonne. Et à l'époque c'était un passage public qui amenait place des Écoles. Donc, pendant les années de lycée, seconde, première, philo, les trajets pour nous étaient toujours les mêmes : prendre ce passage qui traverse la Sorbonne, et aller au café, un café de la place des Écoles qui existe toujours, je crois, *L'Escholier*. Dans ce café, un jour, j'y ai vu un bout de tournage de *Vivre sa vie* de Godard. Une scène avec Brice Parain et Anna Karina, celle où Parain raconte la mort de Porthos dans *Les Trois Mousquetaires*…

Mais un jour, à l'entrée de ce passage de la Sorbonne, brusquement, vers midi, en sortant du lycée, je tombe sur une manifestation. En fait, à peine cinquante d'un côté, moins de cinquante de l'autre. Brusquement je suis parmi les gens qui crient « *Paix en Algérie* », et en face je vois des cons, dont certains de ma classe, qui crient « *Algérie française* ». Qu'est-ce qui a fait que je me suis trouvé dans ce camp-là plutôt que dans l'autre ? Ça avait à voir avec la guerre évidemment, avec le spectre du service militaire… Après la philo, il y avait l'enrôlement possible, la fin du sursis, on était tous sursitaires, mais quand même… Sans doute était-ce surtout parce que, dans l'autre camp, il y avait des gens détestables, arrogants et sûrs d'eux-mêmes, des gens qui me semblaient méprisants, dont un depuis qui a fait une petite carrière à l'extrême droite. À partir de ce moment, j'ai commencé à suivre toutes les manifestations.

La politique à l'époque était très claire. Tu étais à gauche ou à droite. Et si tu étais à gauche tu étais communiste : le Parti communiste était très fort ; et puis on se retrouvait tout naturellement à gauche contre la guerre d'Algérie. Et il y avait là, à portée de la main, un théâtre qui se donnait les moyens d'une pensée claire, analytique, pas seulement émotionnelle, et qui en plus entendait – je parle du Berliner Ensemble – donner une responsabilité au décor, aux costumes, à la mise en scène et à la dramaturgie, et avoir un point de vue politique, moral. Donc je me suis dit : voilà, tout s'imbrique, ça tourne rond. D'autant plus que dans les films que je voyais à cette époque à la Cinémathèque, j'avais mes auteurs préférés, qui étaient les expressionnistes allemands. Et Orson Welles, bien sûr, qui a beaucoup à faire avec l'expressionnisme allemand.

C'est un moment où tout s'est juxtaposé, tout s'est mélangé heureusement, le théâtre, que je faisais l'après-midi, le cinéma, que je voyais le soir et ce goût du combat politique, aussi, lorsque je me suis retrouvé au poste, coffré plusieurs fois, dont une avec le très gros dictionnaire de latin et une autre avec le dictionnaire de grec.

Puis il y eut Cuba, l'invasion de la baie des Cochons, puis, le lendemain même, le putsch d'Alger en 1961, enfin Charonne – Papon – et les morts de cette nuit-là, écrasés contre les grilles du métro… Tout ça était lié et avait des répercussions sur le théâtre que je ne faisais pas encore mais dont je rêvais en secret.

C.H.-L. – On parlait politique chez toi ?

P.C. – Non. On ne parlait pas politique, parce que le *background* de mon père était compliqué : il était plutôt anar. Il avait flirté avec ce qu'on appelait les Camelots du Roi, où il me disait avoir croisé Claude Roy (je n'ai jamais vérifié…), avant que celui-ci ne rentre au Parti communiste. Par la suite, il avait renoncé à tout ce qui était à droite, mais il était resté au fond ce qu'on appelle un anarchiste de droite. Il avait deux très grands amis dont un qui était dessinateur à *Rivarol*, et on ne pouvait pas parler avec lui – il ricanait quand je me faisais prendre dans une manifestation contre la guerre en Algérie et que je rentrais tout fier à la maison –, et un autre qui s'était incrusté tous les soirs à la maison, parce qu'il n'avait nulle part où aller. C'étaient des gens un peu pathétiques, que je n'aimais pas, ma mère ne les aimait pas non plus.

C.H.-L. – Et avec ta mère ?

P.C. – Ma mère, je ne sais pas trop où elle était. On a parlé politique longtemps après, et pour finir ils se sont tous retrouvés plutôt à gauche ; ma mère a toujours voté socialiste après, je pense. Mon père, je ne sais pas : on n'en parlait pas.

C.H.-L. – Cette volonté d'inscrire le groupe théâtral du lycée Louis-le-Grand du côté du théâtre brechtien… C'est une chose que tu poursuis ensuite à Sartrouville ?

P.C. – D'abord je l'ai fait dans les trois spectacles que j'ai montés au lycée, c'est-à-dire *L'Intervention* de Victor Hugo, un petit mélodrame jamais joué, et *Fuente Ovejuna*. Le petit mélodrame se passait chez un couple d'ouvriers… Il y avait un noble qui faisait irruption avec sa maîtresse…

Donc lutte des classes à fond, associée au chant brechtien, car j'avais rajouté un poème de Victor Hugo mis en musique et dont le refrain était : «*J'ai la France avec la clé du coffre.*» Après, pour *Fuente Ovejuna*, j'avais absolument copié le décor du *Galilée* de Strehler, parce qu'entre-temps le Piccolo était passé par là…

C.H.-L. – Un autre choc pour toi ?

P.C. – Un deuxième choc. Le premier spectacle que j'ai vu était au TNP, c'était *L'Opéra de quat'sous* mis en scène par Strehler, qui était impressionnant. C'était brusquement le contraire ; j'avais vu le film de Pabst, évidemment, les deux versions, en allemand et en français. Mais là, j'ai eu un éblouissement devant ce métier théâtral, brillant… Il avait transposé l'histoire à New York en 1927. Donc tout changeait, c'était la prohibition, et du coup on comprenait tout, l'amitié entre le gangster et le chef de la police, etc. Formidable spectacle, avec deux grandes roues de fêtes foraines qui tournaient, au fond. J'ai aspiré beaucoup de choses de Strehler, pour m'en défaire, probablement aussi ; il avait une relation aux comédiens que j'admirais quand j'étais en Italie, mais plutôt moins ensuite, car c'était un peu l'opposé du travail que je fais aujourd'hui. Mais c'était aussi la science du théâtre, le sens de la lumière, le sens du plateau qui étaient sidérants et qui m'ont influencé à une époque où j'avais envie d'être influencé. Après, j'ai regardé les photos, j'ai traîné avant de voir des spectacles, et j'ai vu l'*Arlequin*, évidemment, dans toutes ses versions, et puis l'immense, immense éblouissement, c'est lui de nouveau au Théâtre des Nations, à l'Odéon cette fois-ci, avec le *Barouf à Chioggia* dans sa version originale, si je puis dire, et *Les Géants de la montagne*. Mais là on est déjà en 1967…

C.H.-L. – Ta deuxième mise en scène s'inspirait de cet univers…

P.C. – Je ne quittais pas des yeux non plus le Berliner Ensemble et, quand la troupe n'a plus été invitée à l'Ouest, à cause du mur de Berlin, je lui ai couru après, à Berlin, où je suis allé plusieurs fois après 1961. J'y allais pour le Berliner, mais j'ai également vu les musées et un tableau de Bruegel, dans lequel une roue de charrette est accrochée au sommet d'une branche plantée dans le sol. J'ai dessiné ce truc-là et je l'ai mis dans le décor de *Fuente Ovejuna*. Donc c'était une période sous influence où j'avalais tout : j'avalais Bruegel, j'avalais Bosch, je revenais à Brecht, puisque la grande inspiration des costumes de *Mère Courage* par exemple, c'était Bruegel. Et voilà, ensuite j'ai fait ma sauce moi-même.

Brecht, le Piccolo, la peinture, l'expressionnisme allemand, que je connais à peu près par cœur... Et puis, après, l'immense découverte de Bergman, *Le Visage*, en 1962 : ce sont des années d'une richesse hallucinante. Oui, je suis en train de découvrir que je ne parle que de trois années, en fait : de 1959 à 1962.

c.h.-l. – Tout ce que tu découvres à ce moment-là, tu en fais une chose à toi ?

p.c. – J'essaie, oui, et je l'expérimente dès ma première mise en scène, en 1964, à dix-neuf ans.

c.h.-l. – Et le lien entre tout ça se fait sur le mode esthétique ?

p.c. – Esthétique et politique. Avec de vraies convictions politiques, dans l'opposition à la guerre d'Algérie, jusqu'en 1962. Je me souviens très bien de la campagne électorale du référendum pour l'autodétermination [janvier 1961], le « oui » énorme, je me souviens très bien aussi de la date de l'indépendance, le 19 mars. Je me souviens excessivement bien aussi d'avoir sauté une répétition au groupe théâtral du lycée Louis-le-Grand pour sortir, exulter...

Et je me souviens d'avoir annulé une autre répétition, d'avoir dit : « *Je ne peux pas* », pour aller faire une manifestation qui se préparait parce qu'il y avait eu une bombe de l'OAS chez Malraux, elle avait défiguré la fille des gardiens, qui s'appelait Delphine Renard ; au moment de la dispersion, je revois encore le boulevard Voltaire, j'ai cette image avec les CRS, les casques des CRS dans la lumière des boulevards, ça ne s'oublie pas. Et qu'ils ont chargé la manifestation après la dispersion, c'est Charonne [8 février 1962]. Je me suis retrouvé écrasé par les flics qui frappaient avec de grands bâtons... C'était à la station Charonne, j'ai pu me réfugier dans le café d'à côté.

c.h.-l. – Quand tu reprends le théâtre de Sartrouville en 1966 – je reviens à ça parce que cette histoire de responsabilité à seulement vingt-deux ans m'interroge –, est-ce que tu as le sentiment que diriger un théâtre peut être un engagement politique ?

p.c. – En tout cas, c'était le discours qu'on tenait, et c'est ce qu'on a essayé de faire, avec nos limites…

c.h.-l. – Ce n'était pas un discours que vous teniez en y croyant vraiment ?

p.c. – On y croyait vraiment, avec des erreurs, sans doute, mais la conviction était totale. Il y avait trois personnes engagées pour faire de l'animation, on est allés jouer dans des usines, on y a joué des extraits de Marivaux dans des comités d'entreprise… Évidemment, comme dans tous les théâtres, ce qui marchait le mieux était le travail avec les enseignants et les lycées ; il y avait pour cela Jean-Pierre Vincent et Pierre Leenhardt qui s'en occupaient, très bien d'ailleurs. Tout était lié, ce n'était pas simplement un apostolat, c'était plutôt l'idée qu'on ne faisait pas les spectacles seulement pour nous, mais qu'on les faisait pour un public, et que ce public on devait *l'élargir* le plus possible, ne pas jouer pour ceux qui avaient l'habitude d'aller au théâtre. Je le dis avec les termes de maintenant. À l'époque c'était beaucoup plus politique, je pense.

c.h.-l. – Pour l'éducation du public, c'était pour ça ?

p.c. – Pas pour *l'éducation*, mais pour apporter un service public qui était les œuvres de l'esprit, comme on disait autrefois… Et puis aussi la culture pour tous, cette idée – que j'exprimais dans le premier éditorial que j'ai écrit – que désormais, à côté du lycée, à côté de l'école, à côté de la mairie, de l'hôpital, il y aurait un théâtre. C'est absolument honorable d'y avoir cru et surtout de l'avoir fait, et je ne peux pas dire que ça n'a pas eu de résultats. Nous n'étions pas les seuls, nous nous mettions dans les traces de nos aînés, Dasté, Planchon, Garran, Valverde, cette pépinière de talents de ces années-là dans la périphérie de Paris et ailleurs. Aubervilliers, Saint-Denis, Villeurbanne, Saint-Étienne… Sartrouville n'a pas été une époque facile, il y a eu la faillite personnelle [1969] mais on s'était posé très sérieusement la question : « *Quelles œuvres et pour quel public ?* » Et c'est une question de fond à laquelle je suis toujours attaché. Même s'il m'arrive de faire des spectacles à l'opéra, je continue toujours de me dire : « *Faisons des spectacles pour ceux qui ne sont pas habitués à y venir, qui ne savent rien de ce qui s'y raconte, qui ne connaissent pas l'histoire à l'avance.* » Cela a à voir avec la narration, avec la dramaturgie… S'adresser à des spectateurs qui ne sont pas des *spectateurs professionnels*, s'adresser à des gens qui ne vont pas naturellement au théâtre. Ça reste toujours d'actualité.

C.H.-L. – La faillite de Sartrouville n'a pas remis en cause ta volonté d'élargir le public, de conquérir des spectateurs nouveaux. As-tu eu cependant le sentiment d'échouer, de ce point de vue-là, à Sartrouville ?

P.C. – On a eu le sentiment d'échouer, oui… Mais c'est qu'entre-temps avait eu lieu Mai 68.

C.H.-L. – Et quel est ton Mai 68 ?

P.C. – Une grande exaltation, beaucoup de manifestations, main dans la main avec Richard Peduzzi, que je connaissais depuis un an, à fuir les charges de CRS ; aller habiter chez lui parce que je ne pouvais plus retourner à Sartrouville : plus d'essence, plus de métro… Deux choses moins bien en revanche : on a occupé le théâtre, avec le drapeau rouge sur la façade ; les communistes étaient archi-contre et ils n'avaient pas tout à fait tort. Opposition frontale avec les communistes, qui étaient dans le théâtre, dont mon co-directeur, Claude Sévenier. On nous a traités de fils de bourgeois, etc. On essayait de lui expliquer que nous, ce qu'on aimait, c'était Fidel Castro, à l'époque – on ne savait pas encore qu'à Cuba les homosexuels allaient en camps de concentration, par exemple… Découverte, flirt très court avec le gauchisme ; deux séances chez moi d'une cellule maoïste. Et puis cette chose un peu dérisoire qui s'est appelée le « Comité permanent de Villeurbanne », où tous les directeurs de théâtre se sont retrouvés autour de Roger Planchon, en train de parler d'une invention de Francis Jeanson : le *non-public* (autrement dit ceux qui ne vont jamais au théâtre…). Mais il y a eu des choses magnifiques en 1968, et 1968 est indélébile. Même dans la pensée. Après, cela a abouti à trop de contestation de toute forme d'autorité, plus d'examens, alors qu'il en faut, mais intellectuellement, c'était une période fascinante et incroyablement riche. Et on a vu cette chose exaltante se terminer vers début juin, brusquement ; personne ne l'a vu venir parce qu'on rêvait ; ça s'est transformé simplement en une revendication salariale verrouillée par la CGT. Ce sont des jours qui m'ont éloigné définitivement du Parti communiste.

Dans le même temps, j'avais écrit un article très violent, dans la revue *Partisans*, sur le fait qu'il y avait eu sans doute un mensonge, et que Sartrouville avait été utile, mais que ce théâtre que nous avions fait là devait mourir de sa belle mort. Je ne reniais rien de ce travail avec le public mais je pensais qu'il avait dépassé son objectif, qu'il fallait être plus honnête, qu'il y avait eu peut-être du mensonge, qu'on ne pouvait pas être plus politique que ce qu'on l'était et que surtout, ce que je voulais dire, c'est qu'on butait sur une réalité : il y a un moment, tous les théâtres le savent, où le public ne peut plus s'élargir. À l'époque il y avait encore une classe ouvrière, des relais culturels, des comités d'entreprise très actifs, mais on allait pas au-delà d'environ 10 % d'un public populaire. On ne pouvait pas élargir indéfiniment ce public, ça ne pouvait pas aller sans un travail à l'école auquel on ne pouvait pas se substituer, sans une éducation artistique, sans tout le reste. Et le théâtre de Sartrouville était très pauvre, parce que la ville de Sartrouville était pauvre, on ne pouvait pas tout y faire, il fallait sûrement être plus patient que je ne l'étais, mais je voulais faire mes spectacles, une œuvre, toujours en me posant la question du public qui reste absolument centrale.

c.h.-l. — Est-ce que ton engagement politique est devenu peu à peu une démarche davantage personnelle ? Une démarche relevant plus du positionnement individuel que de l'engagement artistique ? Tes spectacles sont-ils moins militants tandis que l'homme, lui, reste engagé ?

p.c. — J'ai continué à faire des spectacles assez militants après 1968, notamment les deux spectacles du Piccolo Teatro, à Milan. Eux-mêmes dans le contexte très militant d'un théâtre très engagé, et dans une période très politisée de l'histoire italienne des années 1970, ce que l'on appelle *« les années de plomb »*, dans cette Italie des attentats fascistes, dans ce contexte du compromis historique, de la crainte d'un coup d'État à la chilienne… Mais je pense que les deux spectacles que j'ai faits – le *Murieta* de Neruda, et *Toller* de Dorst – posaient surtout les problèmes politiques en termes esthétiques. La question pour moi était – et est restée : *« Où je suis, où je me situe, moi ? Comment résoudre ces problèmes politiques dans ce métier que je fais ? »* Donc les spectacles *militants* que j'ai pu faire se demandaient comment transmettre la politique, mais en restant toujours liés à la pratique de mon métier. Ce qui me correspond je crois, essayer toujours de relier les deux choses. Aujourd'hui, on me dit que mes spectacles ne sont plus politiques… Disons que c'est plus compliqué aujourd'hui, car cette époque d'hier était une époque de certitudes. Et je pense aussi que la fréquentation d'auteurs pour lesquels l'engagement politique se situait différemment de celui des années 1970 m'a marqué. Jean Genet, Bernard-Marie Koltès mais aussi Heiner Müller, Botho Strauss ou Hanif Kureishi ont fait évoluer ma vision de l'engagement au théâtre. *Combat de nègre et de chiens*, par exemple, est une pièce incroyablement politique, mais elle l'affirme sans le revendiquer, elle ne dit pas où est la vérité, elle met en place une situation d'une brutalité extrême, qui est la violence coloniale, mais ça n'en fait pas seulement une pièce anticolonialiste. C'est plus fort que ça.

Je crois que le théâtre politique des années 1970 a vécu, que les choses ne se posent plus du tout de la même façon aujourd'hui. Et qu'il existe une autre façon d'être politique, d'être dans la cité, même si les gens ne la voient pas toujours, et que, moi, je tente toujours d'y trouver ma place.

C.H.-L. – Comment vois-tu aujourd'hui ces années d'apprentissage, ces grandes figures qui t'ont influencé au théâtre comme au cinéma ?

P.C. – Au cinéma comme au théâtre : avoir été influencé par les grands exemples, disons pour le théâtre par Planchon, Visconti, Strehler, et pour le cinéma Visconti encore, tout l'expressionnisme allemand, Orson Welles, Bergman, évidemment, qui ont préparé le terreau sur lequel j'ai tenté de pousser, de me développer. Mais aujourd'hui, découvrir une pièce ou un film dont je n'avais pas idée deux jours plus tôt, découvrir un auteur que je ne connais pas, un auteur que je dévorerai non pas pour être influencé, mais pour continuer ma propre réflexion. Aller dans une salle de cinéma, se choisir un partenaire – le film qu'on y découvre – réfléchir avec lui pendant une heure ou deux sur des questions telles que : qu'est-ce que c'est que le montage ? Qu'est-ce que c'est que l'image ? Quel est le pouvoir de l'image ? Et quels sont les pouvoirs de la narration ? Je ne parlerai plus d'influence aujourd'hui, je parlerai d'écoute, ce qui n'est pas pareil. Mais qui est mieux.

UN ART
DE LA
MODIFICATION

CLÉMENT HERVIEU-LÉGER – On dit souvent des metteurs en scène qu'ils ont un univers qui leur est propre et qu'ils le mettent dans chacun de leurs spectacles. Daniel Emilfork disait que tu avais un monde qui était absolument à toi, et qu'il y avait une adéquation entre ton monde et celui du personnage de Richard II… Tu dis que c'est difficile de parler de ses souvenirs mais est-ce qu'aujourd'hui ce monde-là, qui a habité tes spectacles à tes débuts, est toujours aussi présent ? Ce monde, dont les influences étaient très picturales, tu l'as dit, qu'en reste-t-il aujourd'hui ?

PATRICE CHÉREAU – Il y a deux choses. Il y a d'abord ce que raconte Daniel Emilfork, et qui m'intéresse, parce qu'il évoque à propos du personnage de Richard II un mélange d'enfance et de brutalité, qui était, je pense, la façon avec laquelle à l'époque je dirigeais les acteurs ; c'est aussi ce qu'il a essayé de faire sortir de moi pour jouer ce rôle (ce que je ne savais pas faire alors, je pensais que jouer c'était juste montrer, *démontrer*, même, pas ressentir, ni aller chercher en soi). Le rôle était celui d'un homme jeune qui veut plaire et séduire, qui pense surtout que le monde tourne autour de lui. Donc, à l'âge que j'avais, il n'y avait théoriquement qu'à puiser en moi, ce n'était pas loin, c'est du moins ce que me disait Daniel.

Quant à la question de savoir ce qui reste de ce monde qui était le mien alors… Je ne sais pas répondre à cette question. Ce monde, s'il a existé, j'ai voulu le faire bouger et faire que surtout je ne reste pas dans les mêmes marques ni même que ça puisse me donner un corpus de *références* dans lequel je n'aurais plus eu qu'à puiser. J'ai eu plutôt tendance à devenir l'ennemi de ce monde de départ. J'ai essayé de transformer mon écriture, mon regard sur les spectacles, ma façon de les faire. Alors oui, il doit en rester quelque chose, de ce monde de l'apprentissage. Dans l'obsession de la lumière, comme on l'a dit déjà, oui, dans la connaissance que j'en ai acquise peu à peu, grâce au travail avec André Diot puis à mon séjour en Italie : Richard et moi y avons rencontré des gens admirables, des machinistes, des artisans magnifiques, et moi j'ai eu la possibilité de travailler directement avec les éclairagistes de Strehler qui concevaient la lumière d'une tout autre façon que celle que je connaissais : c'était une matière vivante, une eau qui léchait les objets et les visages sur le plateau, une douceur faite de rien, tout un travail sur le matériel, travail qui leur appartenait en propre, et que j'ai souvent essayé, tout bêtement, de copier. Plus tard, il y eut ensuite une personne importante, une qui compte parmi les plus douées que j'ai jamais connues : un éclairagiste qui avait commencé comme électricien à Villeurbanne puis à Nanterre et qui s'appelait Daniel Delannoy, un écorché vif qui avait une relation amoureuse à la lumière, un autodidacte tellement doué qui a fait les lumières de tous mes spectacles de *Lucio Silla* à *Hamlet*. Il avait quinze ans de moins que moi et nous nous sommes appris mutuellement tant de choses. Il est mort à trente et un ans.

Oui, il doit rester quelque chose de ce monde dont tu parles, même si mon intérêt pour la lumière est probablement lui aussi en train de changer. Comme mon goût pour les très grandes images : je l'ai fait, je les ai faites, Richard est un des meilleurs décorateurs qui soient, mais peut-être ai-je envie de chercher ailleurs, ou peut-être que, tout simplement, la pratique du cinéma a transformé la façon que j'ai de voir les décors et les gens. La réalité d'une scène qu'on filme dans la rue me semble parfois tellement plus forte – il ne faut pas l'idolâtrer non plus, cette réalité, ce n'est *que* la réalité après tout… Les très beaux et très grands décors, les beaux éclairages qu'on a pu faire, il faut surtout ne pas essayer de les refaire. Il y a du plaisir à aller vers le *moins*, vers une simplicité plus grande, une raréfaction plus grande.

Mais il y avait, oui, un monde *à moi* que j'aurais mis dans n'importe quel spectacle, quitte à bousculer l'auteur, à le *forcer*. Je crois que c'est ce que font tous les jeunes metteurs en scène, qui poussent les murs quel que soit le texte, le prétexte – ce qui est très bien et nécessaire. C'est comme ça qu'on naît à la mise en scène, on ne naît pas à la mise en scène autrement.

C.H.-L. – Roger Planchon le disait aussi.

P.C. – Et ça se reproduira toujours, ça ne sert à rien de dire d'un metteur en scène qu'il ne respecte pas l'auteur. On s'en moque ; les textes sont publiés par ailleurs, ils existent, on ne massacre pas les auteurs. Et puis, le temps aidant, on va forcément chercher d'autres choses. Aujourd'hui, mon monde à moi est là, de toute façon, présent dans le film, la pièce. Mais c'est un outil, pas plus, un outil pour comprendre les autres, pour le dire vite, que ce soient les auteurs ou les personnes.

Par contre, l'idée, la conviction que j'ai eue il y a assez longtemps, et que je continue à avoir, est qu'il y a des moyens – des techniques, presque – pour faire qu'une pensée *s'incarne*, pour faire que la pensée soit visible sur un plateau. Je suis convaincu que le sens peut parvenir, quoi qu'il arrive. Non pas en *forçant* le texte ni au contraire en le respectant, mais en travaillant les textes, les mots, les corps, l'espace, les rythmes, jusqu'à ce qu'un sens parvienne. C'est une bagarre, et cette bagarre se mène au montage ou en salle de répétition. Chez moi, elle ne va pas forcément contre l'auteur, comme avant, si je puis dire, mais c'est là mon espace de liberté, là où je peux intervenir le mieux, que ce soit sur Koltès, sur Racine, sur un scénario que j'aurais écrit, ou sur Wagner. Cette bagarre, je me suis forgé des outils pour la mener tous les jours, que ce soit au théâtre, au cinéma ou à l'opéra.

C.H.-L. – Ces *outils* dont tu parles, on a le sentiment que c'est surtout au contact des acteurs que tu les as trouvés. N'est-ce pas le corps de l'acteur, finalement, qui t'a obligé à regarder ton travail différemment ?

P.C. – Ce n'est pas seulement le corps qui oblige à regarder différemment, c'est la nature même de l'acteur. Travailler avec un acteur ne peut jamais se réduire à une indication de jeu, ça ne peut pas se vaincre, si je puis dire, avec un dessin, en lui disant ponctuellement ce qu'il doit faire et comment il doit le faire. L'acteur a des idées, il a un corps qui n'est pas le tien, une altérité, ce qui fait que tu dois prendre en compte la personne, la totalité de sa personne. Comment elle pense, comment elle réagit, comment elle vit, et comment il ou elle accepte d'être, d'être les uns avec les autres.

Là, aucune théorie ne peut aider, c'est autrement qu'il faut aborder les acteurs, par un autre biais, où je suis toujours hésitant d'ailleurs, car je n'ai pas vraiment de méthode. J'en ai une, une seule, qui est de les regarder et de dire : « *Ça, je n'aime pas, ça, je crois que ce n'est pas juste – à l'oreille ou à l'œil* », me dire que c'est faux ou que c'est triché. Et j'essaie de corriger. Mais dans tous les cas, l'acteur s'impose, les acteurs s'imposent dans un spectacle, et arrive un moment où ils envoient voler en l'air toutes les théories. Les corps, comme la lumière, ne se soumettent pas, ni au metteur en scène ni à la caméra. C'est la caméra qui doit se soumettre à eux. De la même façon que le montage se soumet parfois à eux, à ce qui leur advient, quand il s'agit d'un film.

C.H.-L. – On a toujours tendance à penser que ce sont les acteurs qui sont mus par la pratique d'un metteur en scène, alors que quand tu parles, on se rend compte que ton parcours est lié à ta pratique des acteurs, à ton apprentissage à toi de ce que c'est qu'un acteur.

P.C. – Ce qu'est un acteur, c'est une chose que je ne savais pas du tout, qu'on ne peut pas apprendre dans un groupe d'amateurs. Quand j'étais au lycée, même moi je faisais l'acteur, mais sans rien savoir. On dit les mots, on fait des mines et on fait semblant, mais ce n'est que progressivement que les choses arrivent, c'est progressivement que l'apprentissage se fait, parce qu'il y a là, devant vous, des gens qui *résistent*. Qui ne peuvent pas se réduire à une idée. Qui ne peuvent pas se réduire non plus au fait de refabriquer votre pensée de metteur en scène. C'est ce que m'avait appris Daniel Emilfork : « *Ne demande jamais aux acteurs* la résultante, *c'est-à-dire ne demande jamais ce que tu veux obtenir. Obtiens-le, mais ne le demande pas, ne donne pas comme but explicite ce que tu veux. Ne le montre pas, ne leur donne pas la résultante.* » J'ai mis des années à le mettre en œuvre, et d'ailleurs, je ne suis même pas sûr d'y arriver. Parce que les acteurs, c'est toujours mystérieux, même les acteurs avec qui j'ai déjà beaucoup travaillé, qui parfois se révèlent encore plus mystérieux que ceux avec qui je débute une collaboration.

Donc je me laisse guider. En fait, je guide évidemment beaucoup, mais il y a façon et façon de guider. Quand j'étais au Piccolo, par exemple, à Milan, j'ai eu des conflits sanglants avec les acteurs, que je n'imaginerais même plus avoir aujourd'hui. J'en ai eu pendant assez longtemps, même, jusque dans les années 1970-1972. Les rapports avec les acteurs étaient tendus, violents. J'indiquais tout, c'était une habitude italienne, aussi, et que je suivais, parce que ça allait plus vite. Mais même avec des acteurs qui se prêteraient au jeu, si je puis dire, des acteurs qui seraient absolument attentifs, disponibles – mais surtout pas *dociles* –, même dans ces cas-là il y a un moment où le parcours de l'acteur ne peut pas se réduire à ce que propose le metteur en scène. Le parcours d'un acteur vers un rôle est une chose secrète, qui passe par des étapes très mystérieuses que non seulement il faut respecter mais qui en plus sont fascinantes à observer et, si on le peut, *à provoquer*. Comme en amour, c'est évidemment fascinant de ne pas tout savoir, de ne pas tout comprendre de la personne qu'on a en face de soi.

C.H.-L. – Le fait d'avoir beaucoup travaillé à l'étranger, justement, a-t-il compté dans ton travail avec les acteurs ?

P.C. – Cela a compté parce que j'ai toujours aimé travailler dans une langue étrangère. J'aime parler une langue qui n'est pas la mienne – j'y trouve une liberté inattendue –, de la même façon que j'aime m'améliorer, apprendre ce que je ne sais pas. Donc, j'ai aimé travailler en Allemagne, avec les chanteurs, j'ai aimé passer mes journées à parler en allemand, comme j'aime toujours, aujourd'hui, participer à des débats dans cette langue. J'ai aimé travailler en anglais, aussi, pendant les six mois de tournage et de préparation d'*Intimité*, j'ai aimé travailler en italien. L'Italie, en plus, ça aura été la révélation de départ : le théâtre m'a été appris là, autant par la fréquentation des techniciens, des théâtres, des publics, que par cette immersion à vingt-six ans dans une culture et une langue que j'admirais déjà – Strehler au Théâtre des Nations ou à Chaillot dans les années 1960 – et que je découvrais enfin en vrai.

c.h.-l. – Les différences entre les acteurs d'un pays à l'autre sont réelles ?

p.c. – Elles sont fortes, oui, elles tiennent à la façon dont les gens se regardent, ou à comment on leur apprend à se regarder, et elles viennent, évidemment, des traditions de formation de chaque pays. Des acteurs anglais semblent forts, pour des tas de raisons, mais aussi parce qu'ils pensent, par tradition, que les états d'âme qu'ils peuvent avoir en répétition ne sont pas très intéressants, qu'ils n'intéressent personne, en tout cas. L'autre chose, c'est que l'apprentissage, il me semble, est totalement différent : les États-Unis ou l'Angleterre sont des pays où on fait du théâtre tout petit, dans les écoles, dans les lycées… De la musique, aussi. Pourquoi y a-t-il tant de musiciens anglais ? Parce que, quand ils ont dix ans ou quinze ans, ils ont tous un groupe ou une guitare ? Pourquoi n'y a-t-il pas ça en France ? Et puis, il me semble qu'ailleurs, dans les pays anglo-saxons, on leur *apprend à apprendre*, mieux que chez nous, mieux qu'ailleurs.

c.h.-l. – En quoi Koltès, la langue de Koltès a-t-elle justement changé ton rapport à l'acteur ?

p.c. – On l'a dit déjà, c'était se poser la question de sa propre langue – c'est-à-dire : « *Comment est-ce écrit, quel usage fait-il du français ?* » – et surtout de l'apprentissage d'une écriture basée sur le monologue. Ce qui a changé un peu aussi, c'est quand je l'ai joué moi-même. Ça avait changé déjà quand je l'ai fait travailler à Michel Piccoli, à Philippe Léotard, à Sidiki Bakaba ou à Myriam Boyer dans le premier spectacle (*Combat de nègre et de chiens*), à Maria Casarès dans le deuxième, puis dans les autres. Ce qui a changé pour moi, c'était soudain de proposer un parcours aux comédiens, ou de les amener vers un parcours auquel ils n'étaient pas forcément habitués, qui est de penser à une scène *à long terme*. C'est ça que je voulais dire. Quelquefois on a tendance à jouer à très court terme. Une réplique après une autre, une phrase après l'autre. Alors qu'avec Koltès, forcément, quand on est dans un monologue de huit minutes, il faut viser la fin, une fin. Dans un film, c'est plus compliqué, puisqu'on ne fait que des petits morceaux d'une mosaïque qui sera assemblée plus tard. Mais il faut quand même viser la fin, avoir une conscience aiguë du déroulé de l'histoire. Exactement comme Pierre Boulez visait la fin de *L'Or du Rhin* quand il le faisait d'une seule traite jusqu'à la dernière note, réglant les relations entre le rapide et le lent, connectant les différents segments qui se ressemblent, etc. Mais un acteur quelquefois a du mal, confusément, à viser la fin. À un moment donné, il s'agit de viser une pensée qui ne s'établit pas phrase après phrase, pas juste au fur et à mesure, mais d'avoir des durées d'interprétation plus longues que le simple jeu des répliques qui s'égrènent une à une. Parfois, dans un monologue ou une réponse un peu longue, il ne s'agit pas de mettre un sentiment après l'autre, même si on parle juste et si l'émotion est vraie : c'est quelquefois viser une idée qui est plus lointaine dans le texte, une page ou deux plus tard, et qui aurait du mal à se formuler. Ou au contraire donner quelque chose qui ressemble à une conclusion, trop rapide, mais immédiatement juste et dont le sujet lui-même n'est pas conscient ; mais il aura besoin de toute la réplique pour la formuler et se l'expliquer, ou au contraire la refuser et la maquiller sous une forme qui lui conviendrait mieux… Voilà. C'est la différence entre le court terme et le long terme. Ça, Koltès me l'a appris – Koltès et les monologues de Hamlet.

Koltès m'a appris aussi la faculté de dissimuler une pensée. Et non de la dévoiler. Quelquefois, les acteurs pensent que ce qu'ils disent, eh bien, c'est ce qu'il faut comprendre, que c'est le cahier des charges, alors que non, pas du tout, il arrive que le texte puisse n'être qu'une garniture, comme ça, ou n'être qu'un condiment, mais le centre du texte, l'idée, il faut la situer là où elle est – il faut la trouver, déjà –, et elle n'est pas toujours au centre, elle peut être sur le côté, un peu cachée, le cœur du texte peut ne jamais être dit – ce qui explique parfois la longueur d'un discours : la mauvaise foi ou le refus d'y voir vraiment clair… La pensée secrète du texte peut ne pas être formulée, il faut alors la trouver.

Mon travail avec les acteurs est en fait un ensemble de méthodes très artisanales, elles sont liées à beaucoup de choses qui habituellement sont séparées ; tout ce que je fais finalement, c'est recroiser ce que j'ai appris du théâtre, du cinéma, de la musique, et de la peinture aussi. Tout se relie, des connexions se créent, des réflexions sur la durée, sur l'interprétation, sur le rapide, le fort, le lent, le doux, tout cela qui finit par faire un code de langage qui est à moi, oui, qui doit m'appartenir, oui, sûrement.

C.H.-L. – Si tu fais souvent référence à l'artisanat, cela signifie-t-il qu'il n'y a chez toi aucune volonté de construire une méthode ?

P.C. – Il y a une méthode. Tout ça finit de fait par former une méthode, mais mouvante. Il y a des codes de langage, oui, il y a une *méthode* que j'applique, aussi bien au cinéma qu'au théâtre ou à l'opéra. Elle est instinctive, jamais théorique. Ce moment, il y a longtemps, où je me suis dit : *« Par des moyens que je dois trouver, on doit pouvoir incarner des idées et forcer le spectacle à les montrer, forcer le spectacle à les dire, à les rendre lisibles, visibles, par des moyens qui sont l'espace, la lumière, les corps, les voix : on doit y arriver. »* On doit forcer le tout, non pas infliger les décors, les costumes, la lumière, les acteurs, le texte, mais les mettre au service d'une pensée, que ce soit l'intonation d'un comédien, une musique qu'on ajoute ou la couleur d'un costume. On doit y arriver. Et je pense que j'y arrive. C'est une conviction qui est venue, je crois, quand j'ai fait le *Dom Juan* de Molière, qui pourtant n'est pas une pièce dont je suis fou. J'ai compris qu'on devait pouvoir y arriver, mais pas par des moyens mécaniques, des idées de mise en scène, qui seraient des projections, des sous-titres, ou des choses qui diraient au spectateur : *« Voilà ce que vous devez penser de ce que vous êtes en train de voir. »* Non, on y arrive par des moyens secrets, les simples moyens du théâtre, c'est-à-dire décors, costumes, lumières, mais surtout les acteurs. Intonations, jeu, distribution… Et encore une fois je dis *théâtre*, mais il en va de même pour le cinéma et pour l'opéra. Donc en ce sens, il y a une méthode que j'ai forgée au fil des ans, qui est de se dire *« Qu'est-ce que je vois ? »* ou *« Est-ce que tout ça va ensemble ? »*. Et puis surtout aussi d'être, de garder la possibilité d'être toujours surpris du résultat. C'est-à-dire, là aussi, ne pas penser le résultat mais penser à un faisceau de propositions, d'invitations qui donneront un résultat. Quant au résultat lui-même, je ne cherche plus trop à savoir lequel il sera.

C.H.-L. – Tu veux dire que tu ne cherches jamais à imaginer le résultat à l'avance…

P.C. – Par exemple, je suis tombé des nues en revoyant récemment un plan de *La Reine Margot* où j'avais oublié qu'il y avait autant de sang ;

c'est le moment où Isabelle Adjani et Dominique Blanc retournent le corps de Vincent Perez. Dans le scénario, il est simplement écrit : « *Il est blessé dans un lit et elles le soignent* » ; qu'est-ce qui a fait que brusquement il y a eu ces costumes-là imaginés par Moidele Bickel ? Qu'il y a eu cette qualité de pansement – Moidele et moi étions allés chercher de la gaze transparente comme celle qu'il y a dans les tableaux du XIVe et du XVe siècle, cette sorte de pagne qu'il y a sur les descentes de Croix ou les représentations de martyres de cette époque. Qu'est-ce qui a fait que Richard a décidé que ce seraient des murs en planches ? Qu'est-ce qui a fait que brusquement Philippe Rousselot, le chef opérateur, a dit : « *Il va y avoir des bougies, mais ce ne sera pas comme dans Barry Lyndon !* » Parce qu'il était hors de question qu'on refasse *Barry Lyndon*, la fameuse scène éclairée exclusivement aux bougies, si bien qu'on a cherché vainement pendant des jours à fabriquer des bougies au gaz parce qu'on voulait comme des fous des bougies qui auraient une lumière *froide*. Qu'est-ce qui a *fait* cette image-là telle qu'elle est dans le film, je ne le sais pas vraiment car je ne l'ai pas pensée comme ça sur le coup ; nous l'avons faite et puis on a dû rajouter du sang, parce qu'il n'y en avait pas assez. Mais je ne sais pas de quoi elle est faite, cette image, c'est ça que je veux dire. Si elle est impressionnante, ça tient à la façon qu'a Isabelle de jouer, de regarder Vincent, c'est la façon incroyable qu'a Vincent de se retourner, c'est la façon qu'a Dominique de le prendre, c'est la façon qu'ils ont tous les trois d'être ensemble, ces deux femmes devant cet homme qui est complètement nu, avec une sorte d'impudeur si simple et si technique… Je ne sais plus combien de temps il nous a fallu pour la faire, cette image ; je reste surpris, parce que tout a été pensé, évidemment, *sauf* le résultat qu'on voit. Donc c'est là que la fameuse intonation est la résultante du comédien, c'est pour ça qu'il ne faut pas la lui donner et moi j'essaie de ne plus la lui donner. Simplement je regarde et, en général, la seule vérification que je m'autorise pleinement et jusqu'au doute – et qui est permanente, celle-là – c'est de me demander : « *Est-ce que c'est ça que tu veux ?* » Si la réponse est non, je dois continuer à travailler. À chercher ailleurs, simplement.

C.H.-L. – En ce sens, où places-tu le montage, au cinéma, dans ce rapport au résultat et à la résultante ?

p.c. – C'est pareil, je pense : le montage, c'est forcer les images à raconter quelque chose, les maîtriser. On est constamment dans ce problème-là, forcer les images à raconter ce qu'on a envie qu'elles racontent. Je suis sidéré par le montage, toujours, par la capacité du montage à raconter une scène de quatre, cinq façons différentes. Je suis sidéré aussi par la façon dont on lit une image : c'est-à-dire qu'à un moment donné un détail, très court, très rapide, qui tient en très peu d'images, ou un mot, peut rester dans la mémoire de tous les spectateurs. Alors que c'est un détail presque au-delà du fugitif. Tout le monde s'en souvient, tous les spectateurs du film s'en souviennent, et il est presque au-delà du fugitif ; à l'inverse, s'il y a quelque chose dont on veut absolument que les gens se souviennent, en insistant, en rallongeant par un champ contre champ par exemple, jusqu'à ce que l'idée parvienne – ils ne s'en souviennent pas.

c.h.-l. – Dans l'entretien qui tient lieu d'introduction au documentaire *Une autre solitude* [Stéphane Metge, 1995], tu poses d'ailleurs immédiate-ment la question de ce qu'il reste d'un spectacle de théâtre, de la manière dont on gère la postérité d'un spectacle vivant. Quand on voit le docu-mentaire, on se rend compte que ce qui est réellement intéressant, plus que le résultat (puisqu'on ne le voit pas), c'est tout le processus de créa-tion pendant un an, de répétitions et de représentations. Beaucoup de metteurs en scène et certains réalisateurs ont écrit pour tenter d'éclairer ou de théoriser leur travail. Ça n'est pas ton cas. Tu as écrit de manière ponctuelle sur tes spectacles, notamment dans les programmes. Tu es d'ailleurs un homme de l'écrit, quand on voit la quantité de notes que tu prends au cours d'une même journée. Mais tu n'as jamais publié d'ou-vrage théorique, comme ont pu le faire Antoine Vitez ou Peter Brook, par exemple. Est-ce que c'est une question que tu t'es posée ?

p.c. – Non, je ne me la suis pas posée. Je me la pose quand on se la pose pour moi, c'est-à-dire comme maintenant : *« Il va y avoir un livre qui parlera de toi »* ou *« Il faudrait que vous écriviez quelque chose dans le programme »*. Je pense à la fois que j'ai sûrement une méthode et des principes, ou des idées, en tout cas, qui sont cohérentes, qui peuvent donner l'impression qu'il y a un système – il y en a un –, et en même temps, je me méfie d'avoir à le figer sous une forme qui deviendrait une théorie. Comme ont pu le faire très bien Peter Brook avec *L'Espace vide* ou Giorgio Strehler dans *Un théâtre pour la vie*. Je trouverais ça arrogant de ma part. D'abord parce que ça supposerait que je cherche tout le temps la même chose et que je sache exactement ce que je cherche, à savoir affiner à chaque spectacle ou à chaque film une idée qui serait toujours la même et que je poursuivrais obstinément : mon idée du *vrai*, disons… Or je travaille trop au seul gré des envies, et le spectacle ou le film d'après se définissent contre le film ou le spectacle d'avant, ou contre l'impression qui m'en est restée. Ce qui me plaît dans mon travail, c'est que chaque projet engendre un certain type de réflexion, et que j'ai sûrement du plaisir à penser que ça ne ressemble pas à la réflexion de la fois d'avant. Par exemple, le travail que l'on a fait toi et moi sur *Tristan*, j'ai essayé de ne pas le résoudre avec les moyens que j'avais déjà à ma disposition. Même si ce qui m'a fait accepter enfin cet opéra, ça aura été d'écouter un jour le récit du roi Marke chanté par Matti Salminen et de me dire soudain que c'était dialogué d'une façon que je connaissais, que c'était un discours qui ressemblait à ce que j'avais pu faire dans *Phèdre* ou dans *Dans la solitude des champs de coton*. Mais une fois dit, j'essaie aussitôt de développer une réflexion qui ne part pas de mon acquis. Ce qui me plaît, c'est de me dire ou de me figurer – parce que c'est peut-être une illusion – que la réflexion que j'ai, ou qu'on a pu avoir sur *Così fan tutte*, vient en contradiction, ou en opposition, ou en critique de quelque chose que j'aurais fait avant. Toujours ce plaisir à découvrir que j'ai changé. À découvrir que la *Solitude* que je faisais en 1995 n'était pas la même que la précédente et, surtout, que ce spectacle-là, je n'aurais jamais pu le faire dix ans plus tôt. *Così* non plus, d'une certaine façon. J'avais du plaisir à ce que le spectacle ne ressemble pas aux autres et ne soit pas « *désacralisateur* », comme certains pouvaient l'attendre. Qu'on me dise du coup qu'il était classique ne me dérangeait pas, parce que je ne l'aurais pas fait aussi classique des années avant. Ce n'est pas une question d'âge, c'est une question de moment.

Donc je ne me suis jamais dit : « *Je vais réunir en une somme unique ce que je pense du théâtre ou ce que je pense de mon métier.* » Parce qu'à la fois je vois une ligne dans ce que j'ai fait, mais en même temps j'aime bien la garder secrète. Je la vois pour moi. Et parce que je me nourris de plus en plus de beaucoup d'autres choses que du théâtre et du cinéma eux-mêmes. Quand j'ai lu *Coma* de Pierre Guyotat, par exemple, j'ai vu ce lien étrange entre ce texte qui travaille sur la dépression et *Tristan*. Je trouve incroyable la façon dont un livre peut me nourrir. Et puis je me méfie de ma propre pensée. Rien dans mes réflexions, rien dans mon travail ne me semble pouvoir déboucher sur une somme que j'écrirais et où je me dirais : *« Voilà ce que j'ai à dire de définitif sur le théâtre ou le cinéma. »* À un journaliste qui me demandait si j'avais un message existentiel à faire passer, j'ai répondu que je voulais simplement raconter des histoires. *« Ah bon, que ça ? »* m'a-t-il dit. Mais c'est très ambitieux de raconter une histoire ou de vouloir raconter quelque chose et de le faire bien, lisiblement. Le journaliste, lui, voulait plus, il voulait un message, une chose visible. Il ne voulait pas de ce contenu narratif qu'il sous-estimait sans doute. J'ai essayé de lui dire que *raconter une histoire*, qu'une narration, une fiction, peu importe le mot, ça peut contenir le monde, ça peut nous contenir, nous et les problèmes qu'on a à affronter, et la façon dont on est au monde. Non, il avait envie d'un message.

C.H.-L. – *« Raconter une histoire. »* Quand on travaille avec toi, on est frappé par cette obsession de la narration. Elle me semble d'ailleurs être ce qui relie principalement ton travail au théâtre, à l'opéra et au cinéma. Et si tu refuses l'idée de développer un quelconque système théorique qui structurerait globalement ton travail, as-tu néanmoins le sentiment de faire œuvre ? Considères-tu l'ensemble de tes mises en scène et de tes films comme une somme cohérente ?

P.C. – Il doit y avoir une cohérence en tout cas. Et de plus en plus. En revoyant des extraits du documentaire de Stéphane Metge, je vois bien la personne que je suis. Je vois bien d'où je viens, moi, maintenant. Je vois bien ce qui m'a changé dans ces jours-là, dans ces mois-là [avril 1995], la situation totalement privée qui m'a fait alors la personne que j'étais. Donc je vois bien d'où vient cette personne de 1995. J'en vois surtout la *modification* (la fameuse *modification…*), la transformation, et j'en vois en même temps l'unité. Est-ce que c'est ça, faire une œuvre ? Et laquelle, je ne sais pas, mais je sens la cohérence, je sais qu'il y a une cohérence. J'ai le sentiment qu'il y a du théâtre, de quoi remplir une vie. Qu'il y a de l'opéra aussi, et que ça pourrait s'arrêter là, après *De la maison des morts* et *Tristan et Isolde*. Et que, par contre, il pourra y avoir encore beaucoup de films. Je ne sais pas si j'arriverai à les faire tous mais je sens bien la cohérence de l'ensemble, y compris dans toutes mes maladresses. Et j'ai encore l'impression, désirable et stimulante, d'être au début de quelque chose.

c.h.-l. – Lorsque je t'ai vu lire *Le Grand Inquisiteur* de Dostoïevski à l'Odéon, il m'a semblé que c'était sans doute dans cet exercice très particulier qu'est la lecture que tu livrais le plus précisément ce qu'est ton rapport au théâtre et plus largement à la narration. J'avais l'impression, en te voyant seul en scène face à ce texte, que tu cherchais à toucher là à l'essence même du travail de metteur en scène.

p.c. – À l'essence, je ne sais pas… Mais à une réflexion modeste il y a six ans, lorsque j'ai commencé à faire des lectures publiques, que, lentement, est revenu à la surface le travail que je fais avec les acteurs et que je n'ai réellement développé qu'avec les monologues de Koltès ou de Shakespeare. C'est-à-dire la relation du comédien à la parole et à une pensée, le travail de la voix, de l'inflexion, ce qu'on appelle communément *le phrasé*. La question qui est obsédante pour moi, et avec laquelle j'ai fait *Dans la solitude* puis *Phèdre*, ou avec laquelle je fais aussi mes mises en scène d'opéra, c'est de savoir où mettre le sens, comment le faire parvenir. C'est un type de travail que j'exerce avec plaisir quand je suis seul en scène. Il y a encore dans *Le Grand Inquisiteur* des choses que j'ai redécouvertes autrement. En réfléchissant sur la difficulté de relier deux pensées, j'ai découvert brusquement que lorsque l'inquisiteur parle au Christ, il commence par énoncer le théorème – un postulat choquant, dit d'un seul coup, d'entrée de jeu : il lui dit qu'il n'a pas réussi à faire le bonheur des hommes –, puis après seulement il le développe et il argumente. Autrement dit, il commence par sa conclusion. Mais si on n'y prête pas une réelle attention, on ne se rend pas compte qu'il la donne là, sa conclusion, et on se demande où il va, où est le sens. Il devient alors difficile de relier les morceaux successifs. Voilà par exemple une chose que je n'avais pas comprise les premières fois et que je comprends maintenant, à force de le faire : j'avais mal lu. Je me souviens d'une répétition de *Richard III* avec les élèves du Conservatoire à laquelle assistait

Marcel Bozonnet. En sortant, il me dit : «*J'avais oublié que tu faisais tout ce travail sur le texte.*» Mais je ne le faisais pas quand on a travaillé ensemble, Marcel et moi, il y a quarante ans. J'étais partisan, au contraire, d'une façon de parler absolument terne où toutes les finales devaient être baissées. Je ne savais pas ce que je faisais. L'exercice de la lecture me sert en fait d'apprentissage : n'étant pas acteur, je n'ai pas à incarner de personnage, j'incarne comme je peux une pensée, j'essaie de la faire entendre, de la comprendre, de me la raconter à moi-même.

c.h.-l. – Il y avait une chose très fascinante dans *Le Grand Inquisiteur*, c'était ton rapport au silence. Cette manière de tendre le verbe jusqu'au moment où seul le silence semble pouvoir nous le faire réentendre.

p.c. – J'ai un rapport bizarre au rythme. Je pense, par exemple, que certains des spectacles que j'ai faits, les films aussi parfois, sont trop rapides. Je pense que les films se ralentissent un peu maintenant, les deux derniers principalement. Quand je regarde *Ceux qui m'aiment prendront le train*, je le trouve un tout petit peu trop frénétique. Frénétique est sûrement un mot excessif mais disons que ça ne respire pas tout à fait comme ça devrait. Le rythme de *Son Frère* me semble plus exact. Celui d'*Intimité* aussi par moments. Dans *Le Grand Inquisiteur*, comme la pensée est complexe, j'ai senti instinctivement qu'il fallait tout simplement laisser au public le temps d'ingurgiter ce qu'il entendait. D'où les silences. Il n'y a pas à se jeter trop vite sur le prochain argument, ça n'est pas un feu d'artifice. Je mesure profondément, par ailleurs, la différence entre une lecture et une pièce de théâtre. J'ai le texte à la main et je le fais exprès. Les silences que je prends, ce sont les silences de la pensée. Des silences pour laisser respirer, pour laisser aux gens le temps de réentendre l'écho de ce que je viens de dire. Ce ne sont pas les silences de quelqu'un qui incarnerait un rôle.

c.h.-l. – Est-ce que tu t'interroges sur le fait de laisser quelque chose ? Au-delà des films, au-delà des spectacles…

p.c. – Non, pas vraiment. Je pense que c'est bien de vivre dans le moment. Je suis déjà trop préoccupé par le fait de disparaître moi-même. Ça m'embête beaucoup plus ! Je suis dans le travail au jour le jour. Je suis tracassé par des choses très concrètes. Comme le fait d'avoir envie de faire un film dans pas trop longtemps. En revanche, savoir si quand je ne serai plus là, il restera quelque chose que j'ai fait, je pense que je m'en fiche complètement ! Vraiment. De toute façon je ne serai plus là ! C'est bien ça qui m'ennuie le plus : ne plus être là. Je me manquerai beaucoup à moi-même ! S'il y a des choses qui restent, pourquoi pas, mais profondément, on s'en fout, je ne vois pas quelle zone de mon orgueil ça pourrait flatter. Et Dieu merci, ça ne me traverse pas l'esprit quand je travaille. C'est pour ça que j'ai plus d'insouciance qu'on ne croit : j'ai trop de plaisir à travailler avec des acteurs, avec un scénariste, j'ai du plaisir à une idée nouvelle, à la construction d'une nouvelle histoire. J'ai trop de plaisir même à la *difficulté*.

c.h.-l. – Il y a ces moments où tu travailles seul, qui sont nombreux, et puis il y a ces moments où tu travailles avec des équipes.

p.c. – Oui, il faut les deux.

c.h.-l. – Lorsqu'on te voit en répétition ou sur un tournage, au-delà de tout problème artistique, c'est bien d'un chef d'équipe qu'il s'agit, d'un meneur d'hommes. Il y a chez toi cette incroyable capacité à donner de l'énergie.

p.c. – À essayer de faire aller tout dans le même sens. C'est ça le plus important. Et ça n'est pas une décision simplement autoritaire qui reviendrait à dire : « *C'est le sens que je veux et vous n'avez qu'à suivre.* » C'est fait profondément de toutes les énergies de tout le monde. C'est, par exemple, Michelle Marquais ou Dominique Blanc à qui je racontais une scène répétée la veille pendant les répétitions de *Phèdre*, et qui me répondaient : « *Oh ! là là, ça va être très difficile à faire.* » Et je leur disais à l'une ou à l'autre : « *Non, ce que je te raconte là, c'est ce que j'ai vu hier dans ce que tu as fait. Si tu ne l'avais pas fait, je ne serais pas en train de te le raconter. Donc j'essaie simplement de te donner des armes, des appuis, pour le retrouver.* » La place des gens avec qui je travaille est énorme. Je leur redonne une part de l'énergie qu'ils m'ont donnée, je ne fais que ça en fait !

C'est pour ça que j'ai toujours de l'énergie, parce qu'elle ne vient pas de moi, que du coup je n'arrive pas à être blasé et que je n'ai pas envie de m'ennuyer en répétition, ni même pendant la préparation d'un film ou d'une mise en scène. Il y a eu des moments quand j'étais très jeune où j'ai pu m'ennuyer, mais parce que j'étais dévoré par la trouille en fait. C'est là que l'ennui arrive, quand on est uniquement centré sur soi.

C.H.-L. – Il peut y avoir aussi des gens sur un projet qui t'emmènent à un endroit où tu ne serais pas allé de toi-même ?

P.C. – Il y en a toujours un ou deux dans chaque projet. Ils sont peu nombreux, ce sont toujours des personnes *rares* et ce sont ceux qui n'ont pas peur de moi et qui savent que je ne dirige pas tout et que je n'ai pas la prescience de là où je veux aller.

CLÉMENT HERVIEU-LÉGER
VINCENT HUGUET

UN SEUL HOMME

Il faut emprunter le passage Richelieu, laissant de chaque côté les cours Puget et Marly. Il faut entrer sous la pyramide et se laisser guider par les cryptogrammes indiquant l'aile Denon : sculptures italiennes, peintures françaises, peintures italiennes. Il faut traverser la galerie Michel-Ange, gravir l'escalier qui conduit à la Grande Galerie, parcourir la salle Mollien. À droite la salle des États et la Joconde, en face la salle Daru au rouge sombre de Soulages. Il faut encore pivoter d'un quart de tour sur la droite. C'est ici. C'est dans ce lieu de passage, où les gens se croisent et se frôlent sans plus prêter de réelle attention aux lourds tableaux qui les entourent, que Patrice Chéreau a choisi de faire du théâtre. Ce seront Jon Fosse et Bernard-Marie Koltès. Cela fait longtemps qu'il n'est pas venu au Louvre. Le lieu semble pourtant lui être familier. Le temps de noter chaque détail, de chercher à comprendre l'espace, et déjà le voilà reparti. De sa démarche décidée, un livre et un carnet à la main, comme sur un plateau de répétition, il gagne les salles dévolues à la peinture espagnole. Là, il mettra en scène Waltraud Meier dans les *Wesendonck Lieder* de Wagner. Ces créations, il les a pensées pour le Louvre et soigneusement préparées pendant de longs mois, à Munich avec Waltraud Meier, à Châteauvallon et à Valence avec Romain Duris, à Paris pour *Rêve d'automne*. D'autres lieux qui convergent vers le Louvre, comme le Louvre partira à son tour sur les routes de France et d'Europe avec le grand décor de *Rêve d'automne*, réalisé par Richard Peduzzi d'après le salon Denon. Si le tableau d'Hubert Robert représentant la Grande Galerie en ruines, par exemple, a souvent voyagé, prêté dans de nombreuses expositions, c'est sans doute la première fois qu'un bout du Louvre fera une si longue tournée. Que penseront les spectateurs d'Amsterdam, de Milan ou de Vienne devant ces hauts murs rouges, ces grandes portes qui ouvrent des perspectives sur d'autres galeries, ce vieux parquet qui craque sous le pas des acteurs ? Reconnaîtront-ils ce salon un peu fantôme car trop voisin de la Joconde pour exister ou n'y verront-ils qu'une salle qui pourrait appartenir à n'importe quel musée des beaux-arts ? Et les spectateurs qui auront la chance d'emprunter le même parcours, une nuit de novembre, pour venir s'asseoir dans le salon Denon et attendre en silence qu'un premier acteur apparaisse, comment entendront-ils les mots de Jon Fosse qui racontent une rencontre dans un cimetière ? Oublieront-ils le Louvre ? Le plus beau pari de Patrice Chéreau est peut-être là, faire que le temps de quelques nuits, de quelques semaines, on oublie qu'on est au musée, comme les bons soirs on oublie qu'on est dans une salle de cinéma ou de théâtre. Hubert Robert imagina la Grande Galerie ouverte sur le ciel et déjà reconquise par la nature – et la vie – au moment même où naissait le musée, comme une vanité. Peut-être qu'en choisissant de montrer au cœur du musée d'autres ruines, celles qui surgissent des mots de Jon Fosse et de Bernard-Marie Koltès, Patrice Chéreau crée à son tour une vue imaginaire, du salon Denon cette fois, entre l'apogée et le désastre.

Ici encore et au pied de la *Victoire de Samothrace*, il y aura de la danse, ailleurs du cinéma, de la musique, des expositions. Mais si Patrice Chéreau a voulu faire ce rêve en automne avec ceux qui lui sont chers, avec certains artistes qui l'accompagnent depuis longtemps, il refuse comme à son habitude l'idée d'une quelconque rétrospective. Pas question pour lui d'une forme d'hommage qui l'enfermerait dans ses réalisations passées. Ni célébration ni mausolée. Son regard reste tourné vers le travail à venir et, s'il transforme pendant un mois ce musée en un théâtre imaginaire, c'est aussi pour y faire naître des choses nouvelles, y vivre des expériences qu'il n'avait jamais vécues auparavant, comme concevoir une exposition de peinture ou écrire un livre. Peut-être aussi a-t-il voulu que le Louvre soit ce lieu où il n'aurait plus à expliquer, une fois encore, qu'il considère toujours faire le même métier, qu'il soit sur une scène de théâtre, d'opéra ou sur un plateau de cinéma. Un lieu où, croisant le petit garçon qui venait au musée accompagné de ses parents, il se sentirait chez lui. Il y a en effet, chez Patrice Chéreau, cette obstination à tout faire, à ne renoncer à rien. Il a fait de cette pluridisciplinarité une véritable revendication artistique, qui prend peut-être toute son ampleur dans les murs du palais. Il est un metteur en scène, voilà tout.

Mais l'explication ne semble pas suffisante. Et chacun de le presser à en dire davantage sur ce qu'il considère être son métier. Sa programmation au Louvre est une réponse et un manifeste. En suivant Patrice Chéreau de salle en salle, on comprend que ce n'est pas le metteur en scène que l'on est en train de suivre mais l'homme seul. On réalise que c'est cet homme, avec ses obsessions, ses désirs et ses angoisses, qui s'engage de tout son être dans chacune de ses créations, dans chacun de ses projets. Et si ses modes d'expression sont multiples, lui n'est qu'un. Un seul homme.

REMERCIEMENTS

**Nous souhaitons remercier tous ceux
qui ont contribué à rendre possible ce projet
et la publication qui l'accompagne :**
Sébastien Allard, Pierre Bergé, Marie-Laure Bernadac,
Yves Carcelle, Emmanuel Bréon, Richard Brunel, Vanessa Ceroni,
Michael Chase, Guy Cogeval, Olivier Corpet, Cécile Debray,
Vincent Delieuvin, Emmanuel Demarcy-Mota, Caroline Dévé,
Albert Dichy, Blaise Ducos, Élisabeth Foucart-Walter,
Nathalie Gasser, Jean Habert, Michel Hilaire,
Sylvain Laveissière, Félix Lefebvre, Philippe Le Leyzour, Stéphane
Loire, Stéphane Malfettes, Fanny Meurisse, Valérie Nègre,
Alfred Pacquement, Vincent Pomarède, Marie-Catherine Sahut,
Laurent Salomé, Sandrine Samson, Christian Tamet,
Carel van Tuyll, Florence Viguier ;

les artistes :
Daniel Barenboim et le West-Eastern Divan Orchestra,
Patrick-Mario Bernard, Moidele Bickel, Dominique Blanc,
Dominique Bruguière, Valeria Bruni-Tedeschi,
Marie Bunel, Nuri Bilge Ceylan, Boris Charmatz,
Clara Cornil, Romain Duris, Nan Goldin, Pascal Greggory,
Clément Hervieu-Léger, Emmanuelle Huynh,
Foofwa d'Imobilité, Klaus Janek, Yaël Kareth,
Michelle Marquais, Steve McQueen, Waltraud Meier,
Tsaï Ming-Liang, Mathilde Monnier, Éric Neveux,
Bulle Ogier, Stephen O'Malley et Peter Rehberg (KTL),
Arnaud des Pallières, Richard Peduzzi, Karim Saïd,
Alexandre Stycker, Thierry Thieû Niang, Pierre Trividic,
Bernard Verley, Marcus Vigneron-Coudray,
Caroline de Vivaise ;

**ainsi que les institutions qui nous
ont apporté leur précieuse collaboration :**
IMEC, Paris, Caen
Musée d'Orsay, Paris
Centre Georges Pompidou, musée national
d'Art moderne, Paris
Musée Fabre, Montpellier Agglomération
Musée des Beaux-Arts de Rouen
Musée de l'Orangerie, Paris
Musée Ingres, Montauban
Musée des Beaux-Arts de Tours
Matthew Marks Gallery, New York

Théâtre de la Ville, Paris
Comédie de Valence
Centre national de création et de diffusion culturelles
de Châteauvallon
Académie des Beaux-Arts, Munich

Le Louvre invite Patrice Chéreau
Les visages et les corps
novembre 2010-janvier 2011

Musée du Louvre
Henri Loyrette, président-directeur
Hervé Barbaret, administrateur général
Catherine Sueur, administratrice générale adjointe

Commissariat de l'exposition
Les visages et les corps, salle Restout :
Patrice Chéreau avec la collaboration
de Sébastien Allard et Vincent Huguet
Derrière les images, couloir des Poules :
Sébastien Allard et Vincent Huguet

Scénographie et muséographie
Richard Peduzzi,
assisté de Louise Reyre et Bernard Giraud

Direction de la Production culturelle
Juliette Armand, directrice
Soraya Karkache, chef du service des expositions
Martin Kiefer, coordinateur de l'exposition

Direction Architecture, Muséographie, Technique
Alain Boissonnet, directeur
Michel Antonpietri, directeur adjoint
Clio Karageorghis, chef du service architecture,
muséographie et signalétique
Victoria Gertenbach, scénographie
Carol Manzano et Stéphanie de Vomécourt, coordination
Frédéric Poincelet, graphisme
Xavier Guillot, Aline Cymbler, coordination des travaux

**Direction de l'Auditorium
et des Manifestations Culturelles**

Jean-Marc Terrasse, directeur
Clémentine Aubry, directrice adjointe
Gérard Parus, chef du service de la régie des manifestations
Stéphane Malfettes, programmateur spectacles vivants /
chef de projet « Le Louvre invite Patrice Chéreau »
Monique Devaux, programmatrice musique
Christian Labrande, programmateur musique filmée
Marcella Lista, programmatrice art contemporain et architecture
Pascale Raynaud, programmatrice cinéma

Cette programmation bénéficie
du mécénat principal de **Pierre Bergé**
et du soutien de Louis Vuitton

ÉDITIONS

Musée du Louvre

Direction de la
Production culturelle
Violaine Bouvet-Lanselle
Chef du service des Éditions

Chrystel Martin
Iconographe, service
Images et Ressources
documentaires

Skira Flammarion

Sophy Thompson
Directrice éditoriale

Sophie Laporte
Responsable éditoriale

Mathilde Senoble,
assistée de Marion Lambert
Coordination éditoriale

Amélie Boutry
Conception graphique
et mise en pages

Élisabeth Boyer
Préparation et relecture
des textes

Élodie Conjat-Cuvelier
Fabrication